Alexandre Lajoie

L'inconnu du donjon

de Evelyne Brisou-Pellen
illustrations de Nicolas Wintz

FOLIO **JUNIOR**
GALLIMARD JEUNESSE

*Avec mes remerciements à Hervé de la Villéon,
qui m'a ouvert les portes de son château de Montmuran.*

1

CERTAINS JOURS, GARIN SE DISAIT QU'IL AURAIT ÉTÉ PLUS TRANQUILLE S'IL ÉTAIT RESTÉ À L'ÉCOLE CATHÉDRALE, À APPRENDRE AVEC LES AUTRES des enfilades de mots qui ne servaient à rien, ou alors qui servaient à quelque chose dont il n'avait aucune idée.

Les jours de pluie, surtout, étaient difficiles... sans parler des nuits de pluie, quand il dormait au creux d'un fossé et qu'il s'apercevait tout à coup que, pendant que la pluie détrempait sa cape par le dessus, un ruisseau se formait traîtreusement par le dessous. Il se laissait aller alors à ces jurons complètement interdits par l'Église, mais qui soulagent un peu.

C'est à ce moment qu'il regrettait l'école cathédrale, ses compagnons de misère, et même le chantre qu'il détestait, et qui lui avait dit d'un ton définitif :

– Garin Troussebœuf, je ne peux plus rien pour vous, pas même trouver le moindre mot pour vous défendre.

Pourtant, cette fois-là, il n'avait pas fait grand-chose : juste installé une boule de neige sous la statue de la Vierge qui veillait sur eux, et avoir crié bien haut au miracle, quand la neige avait fondu : « La statue est vivante, elle a fait une petite flaque ! » Bon, ce n'était sans doute pas du meilleur goût.

Garin releva la tête d'un coup. Il avait cru sentir une présence. Les mains crispées sur sa cape, il demeura un moment immobile comme la pierre d'un tombeau... « sauf, songea-t-il bêtement, si le tombeau est celui d'un revenant... » et cette pensée ne le rassura pas du tout.

Plus un bruit. Avait-il rêvé ? Il se remit à respirer et s'assit avec prudence.

Crédiou ! Voilà qu'il était franchement mouillé. Une belle cape de drap presque neuve. Quelle misère ! Et ce château qui se trouvait là, tout près ! Hélas... Impossible d'y demander asile ; le pont-levis en avait été relevé dès les dernières lueurs du jour, et rien n'attendrirait les gardes. Ils avaient bien trop peur, surtout avec les hommes d'armes de tout poil qui rôdaient par ici.

Garin secoua sa cape. Il n'aurait jamais dû s'endormir sous la pluie... Qu'est-ce qui... ? N'entendait-il pas des rires ? Une fête, aurait-on dit. Ça festoyait au château !

Ahi ! Il ne faut jamais penser un mot comme « festoyer » quand on a l'estomac vide. Rien de tel pour vous infliger mille tortures.

Il grimaça et ramena ses jambes contre son ventre. Il était beaucoup trop maigre, il n'avait aucune réserve. Où donc passait tout ce qu'il mangeait ? Il grandissait trop vite, c'était ça ! Sa mère l'accusait d'être un gouffre sans fond, on ne pouvait jamais le rassasier.

Là... Est-ce qu'il n'avait pas entendu un craquement ? La nuit était terriblement noire. Terriblement. Peut-être qu'il pourrait siffloter un peu, ça brise la peur.

Peur ? Voyons, il n'avait pas peur ! Il n'avait jamais peur. Jamais. Jamais. Mais c'était bizarre, tout de même, on aurait presque dit qu'il y avait du monde dans les fourrés... Dans certains endroits, on prétendait que la nuit était peuplée d'êtres maléfiques...

Bien sûr, il n'y croyait pas du tout. Du tout. Il pourrait quand même peut-être se glisser sous les branches basses du sapin, juste pour se mettre à l'abri de la pluie.

Tout à l'heure les branches étaient trop basses, mais voilà que maintenant, il arrivait bien à se faufiler...

Vrai, la plaisanterie de la boule de neige, il n'aurait peut-être pas dû, surtout qu'il n'avait en principe aucun droit de suivre les cours. Ce qui l'intéressait seulement, c'était de savoir lire et écrire, histoire de faire enrager ses parents et de se distinguer de ses frères et sœurs. Quand on est le dix-neuvième d'une famille, il faut bien jouer des coudes pour se faire remarquer.

S'il s'était mis à fréquenter l'école cathédrale, c'était par un pur hasard. Dès le matin, son père, qui travaillait comme paveur (quand par bonheur il y avait du travail), était déjà ivre. Il n'avait pas le vin heureux et, à ces moments-là, il supportait encore moins la marée d'enfants dont le ciel l'avait généreusement gratifié. Garin se rappelait parfaitement que, lorsqu'il avait quitté la maison, le vingt-cinquième venait de naître.

Il ignorait s'il y en avait eu d'autres depuis. Et en plus, par chance (?), vingt-cinq enfants vivants!

Chez les voisins, on perdait habituellement au moins un enfant sur trois à la naissance, et encore quelques-uns avant qu'ils ne marchent. Pas chez eux. Tous vivants! Qui pourrait croire une chose pareille? Et pourtant, c'était la vérité. Sa mère disait qu'en mourant, elle irait directement au ciel, parce que son purgatoire, elle le faisait sur terre, et que Dieu l'éprouvait en lui envoyant autant de bouches hurlantes. Quant à son père, il ne voulait pas savoir le rôle de Dieu dans cette affaire. Au moindre bruit, il sortait son fouet et frappait n'importe où.

Garin, lui, n'aimait pas les coups. Il s'arrangeait donc pour séjourner le moins longtemps possible dans l'unique pièce qui composait le logis familial. Mais l'hiver, la vie dehors manque de chaleur et d'humanité. Il avait découvert, près de la cathédrale, une ancienne chapelle désaffectée où un prêtre apprenait à lire et à écrire à des enfants. Dans le mur de cette chapelle, il y avait un trou, qui débouchait derrière l'autel, et par lequel il se glissait pour écouter. Un jour, il s'y était endormi..

Quand le sous-chantre l'avait découvert là, il n'avait pas poussé de hurlements – c'était un homme doux – il lui avait simplement dit qu'il n'avait aucune raison de se cacher, et qu'il pouvait prendre place au milieu des écoliers. Donc, la fois suivante, il avait apporté sa botte de paille pour s'asseoir avec les autres.

Cela n'avait pas duré très longtemps; autant il était excitant d'apprendre en cachette ce qui lui plaisait, autant il devenait ennuyeux de suivre tous les cours et d'apprendre à chanter (il chantait mal, que c'en était une vraie punition).

Voilà comment il commença à dissiper ses camarades, et inventa mille ruses pour se distraire, jusqu'à ce qu'un jour, le chantre le mette à la porte.

Il savait lire et écrire. Il n'était pas question pour lui de retourner passer ses journées chez ses parents, d'aider à traîner les charges de pavés jusqu'à ce que ses mains deviennent calleuses et creusées de gerçures comme celles de son père. Donc...

Une nuit, il s'était glissé dans l'école et avait emprunté une écritoire, quelques plumes et des parchemins – des parchemins pas neufs du tout, et qu'il avait dû ensuite regratter pour les utiliser. Le mot était bien « emprunté » car il avait fermement l'intention de les rendre quand il repasserait par là. Il fallait être raisonnable : il n'avait pas un sou dans sa bourse, et même pas de bourse du tout, comment aurait-il pu s'en acheter? Et voilà alors le chantre qui était sorti de...

Cette fois, il y avait eu un bruit, sûr! Des chuchotements Et puis un hurlement: « Notre-Dame Guesclin! » Un cri de guerre. Où suis-je?

La cloche du château se mit à sonner. Le bruit des armes, les chocs, les cris, Garin se sentit tiré par les pieds, il se retrouva par terre, de la boue plein la bouche, la tête sur le coin de sa boîte à écrire. Il s'évanouit sans doute, en tout cas il le supposa parce que, lorsqu'il reprit conscience, ça sentait le sang et la sueur. Quelqu'un hurla :

– Vous êtes pris, Calveley ! Rendez-moi vos armes !

Qui était ce Calveley ? Pas lui, en tout cas, non pas lui ! Il voulut le dire, mais.. Ahi ! Un coup de pied dans les côtes Arrêtez ! Je me lève !

Seigneur ! Il était loin d'être seul, la nuit fourmillait de gens. Les torches valsaient. Il y avait là des casques qui brillaient, des hauberts* qui faisaient des bruits d'étoffe déchirée. Des hommes d'armes, plein d'hommes d'armes ! Des Français ? Des Anglais ? S'il s'y était mieux connu en casques et en blasons, il aurait pu le dire.

Il y eut encore des cris et des jurons. Personne ne s'occupait plus de lui. A trois pas, il aperçut un petit homme fort laid, bien campé sur ses deux pieds, qui regardait avec un sourire goguenard les épées et les arcs que les vaincus laissaient tomber à ses pieds. Cet homme-là commandait sans doute un des groupes. Il s'écria :

– Je vous ai eu, Calveley. Vous vouliez prendre le château par surprise, c'est moi qui vous ai pris par surprise. J'avais mes guetteurs partout.

Celui qui semblait s'appeler Calveley se redressa et demanda d'un ton sec :

– Soit. De qui suis-je le prisonnier ?

Haubert : cotte de mailles

Il avait de l'allure.

– Bertrand du Guesclin, dit le petit homme laid en inclinant la tête d'un air narquois.

Garin vit dans les yeux de Calveley, que le nom de du Guesclin lui disait bien quelque chose. A lui, Garin, ça ne disait rien du tout. Il n'eut pas le loisir d'y réfléchir : on venait de lui ramener brutalement les mains dans le dos, et on les lui liait. Attendez! On le poussa d'une secousse brutale en avant. Qu'est-ce qu'on lui voulait? Il n'y comprenait rien. Sa boîte! Il voulait récupérer sa boîte! Un coup de genou dans le ventre l'en dissuada. Il se plia en deux. Sa boîte...

« ... Je suis toujours vivant n'est-ce pas? » C'est une phrase qu'il était bon de se répéter de temps en temps, ça réconfortait. Et quand il ne serait plus en mesure de se le dire.. eh bien, il ne s'en apercevrait même pas.

Maintenant, il marchait derrière les autres. Certains avaient du sang partout. Garin aurait bien voulu essayer d'expliquer que c'était une erreur, qu'il n'avait rien à voir avec ça, mais quel « ça »? Il ne savait même pas qui avait capturé qui, et pourquoi. C'est bête de chercher à comprendre quand on n'a aucun moyen de comprendre.

Derrière eux, il y avait encore des cris de douleur; seuls ceux qui pouvaient marcher étaient emmenés. Et les autres... est-ce qu'on les laisserait mourir sur place? C'était la guerre, enfin une sorte de guerre, que Garin n'avait jamais bien comprise.

L'énorme silhouette du château se découpa en noir sur le

ciel noir. C'est donc là qu'on les emmenait : le château de Montmuran. Finalement, il était dit qu'il y passerait la nuit... à moins qu'il ne soit mort avant.

On s'approcha des hautes murailles. Elles plongeaient les pieds dans les douves noires, où se perdait la lumière des torches.

Juste devant lui, à l'angle, veillaient deux tours accolées qui s'épaulaient. Plus loin vers la droite – là où se dirigeait la longue file des prisonniers – une énorme masse sombre constituait sans doute les défenses de la porte d'entrée du château. On s'arrêta.

D'un œil inquiet, Garin suivit sur sa gauche la courbe de la muraille. Elle semblait rejoindre au bout une sorte de renflement qui devait être une autre tour. Tout en haut, une lumière pâle vacillait et, sans qu'il sache pourquoi, c'est cette lueur qui lui fit le plus peur. On repartit avec lenteur, et quand Garin parvint enfin devant la porte défensive encadrée de ses tours, il s'aperçut qu'au dernier étage, plusieurs fenêtres étaient éclairées : c'est de là que venaient la musique et les rires qu'il avait entendus tout à l'heure.

Le pont-levis n'avait pas été abaissé. Trop dangereux. On leur avait seulement mis en place la passerelle permettant l'accès par une petite porte piétonne qui s'ouvrait à droite.

Le bois du petit pont craqua sous les pas. Ce n'était pas très large. La moindre bousculade, et on se retrouvait dans les douves sans fond, à hurler de peur, à se débattre pour ne pas mourir noyé. Y avait-il beaucoup d'eau là-dessous ? Garin se jura bien que s'il sortait vivant d'ici, il apprendrait à nager.

A son grand soulagement, rien de fâcheux ne se passa. Il posa le pied sur les dalles de pierre. «Je suis vivant», se dit-il.

Vivant, mais entre les mains de qui? Qui étaient les vainqueurs de cette drôle d'histoire? Évidemment ceux qui tenaient les lances et vous piquaient dans le dos, il n'en savait pas plus.

– Ahi! Je n'ai rien fait, moi!

– Monte!

Monter. Monter derrière les autres, en évitant de penser.

Cet escalier était interminable. Un instant, Garin fut saisi par la révélation qu'on les faisait monter sur le chemin de ronde pour les jeter de là-haut... mais c'était une fausse révélation, car on les fit tout simplement pénétrer dans la grande salle où se déroulait la fête.

Il y avait beaucoup de convives au repas, derrière trois énormes tables placées en fer à cheval, et tout le monde riait – sauf eux, les prisonniers.

Une belle dame vint au-devant du petit homme laid.

– Messire du Guesclin! s'exclama-t-elle. Votre plan a merveilleusement réussi. Quelle bonne idée d'organiser ce festin, pour faire croire que nous ne nous méfiions pas! Avez-vous pris qui vous pensiez?

– Exactement, dame Jeanne: Calveley et tous ses hommes, c'est-à-dire une grande partie de la garnison de Bécherel.

Bécherel... Bécherel... Les pensées de Garin se télescopaient. Ils voulait réfléchir, mais il n'y arrivait pas, Bécherel... si, peut-être: il lui semblait que la ville était tenue par les Anglais. Les hommes capturés étaient-ils donc anglais?

Les serviteurs, un moment interrompus par l'arrivée des prisonniers, s'étaient remis à circuler. L'un d'eux se dirigea vers la desserte, se saisit d'un pâté doré – qui devait bien renfermer un chevreuil entier – et passa devant Garin, lui torturant fâcheusement l'estomac.

– Sont-ils tous anglais ? demanda une jeune fille attablée devant un faisan tout revêtu de ses plumes.

C'était peut-être le moment... Ne plus penser à son estomac, s'avancer et dire qu'il n'était pas anglais. Mais était-ce bien intelligent ? Il ignorait qui étaient ces gens.

Messire du Gueslin l'informa involontairement en présentant à Calveley :

– Jeanne de Combourg, dame de Montmuran, veuve du seigneur Jean de Tinténiac qui participa au combat des Trente.

C'est alors seulement que Garin commença à comprendre où il était tombé.

Il y avait, sur la terre de Bretagne, des Bretons qui se battaient contre des Bretons, les uns aidés par des Français, les autres soutenus par les Anglais, pour l'héritage du duché de Bretagne.

Les habitants du château de Montmuran faisaient visiblement partie de ces Bretons alliés aux Français qui prétendaient que le duché devait revenir à Jeanne de Penthièvre, et non à son oncle Jean de Montfort.

Garin espérait avoir bien tout compris, car c'était le moment de profiter de l'accalmie dans les rires pour crier bien fort :

– Je ne suis pas anglais.

Et aussitôt, il faillit regretter. Était-il sûr que... ?

– Qui es-tu, alors ? lança le sieur du Guesclin, mis de bonne humeur par sa victoire.

– Je m'appelle Garin Trousse... anglais.

Tout le monde rit. Personne n'eut l'air de penser qu'il s'agissait là d'une invention.

Ne jamais dire son vrai nom, c'était un des jeux de Garin, jeu qui était devenu avec le temps un principe. Ne jamais rien dire de vrai sur soi, ou le moins possible... sauf concernant son métier, évidemment.

– Qu'est-ce que ça peut nous faire, que tu ne sois pas anglais ! ricana un homme qui semblait commander aux sergents du château. Tu es avec eux, c'est tout pareil, avec cette bande de brigands qui soutient les Montfort. En tant que Breton, tu n'as pas choisi le bon camp.

– Je ne suis pas breton non plus

Ça, il n'aurait pas dû le dire.

– Quoi! hurla le capitaine de la garnison, tu es français et tu te bats avec les Montfort?

– Euh, non! C'est-à-dire...

Le sieur du Guesclin s'interposa alors et demanda sévère ment:

– Es-tu du parti des Montfort ou du parti des Penthièvre?

– C'est que... ni l'un ni l'autre.

Messire du Guesclin haussa les épaules d'un air excédé avant de laisser tomber:

– Jetez-moi tout ça dans le cul-de-basse-fosse.

2

JE SUIS VIVANT, JE SUIS VIVANT.
CE QU'IL Y A DE TERRIBLE, DANS
LES GUERRES, C'EST QU'ON NE SAIT
JAMAIS DE QUEL BORD IL FAUT SE
TROUVER.

Et si on ne prend parti pour personne, on reçoit des coups de tous les côtés.

Cul-de-basse-fosse. Pouah! Garin avait vraiment horreur des prisons, de la paille moisie, de tout. Ce n'était pas la première fois qu'il se retrouvait dans cette situation, bien sûr: quand on fait sa vie sur les routes, il arrive mille aventures cocasses ou désagréables, mais de toutes les prisons, les culs-de-basse-fosse étaient les pires: humides et puants, pour la bonne raison qu'ils étaient la plupart du temps situés au-dessous du niveau du sol... En réalité, celui-ci ne portait pas vraiment bien son nom; ce n'était qu'une basse-fosse peu profonde. Toutefois, pour les odeurs et la saleté... Pouah!

Mais il était toujours vivant, n'est-ce pas?

Qu'allaient-ils faire de lui, ceux-là? Pas le tuer, quand

même! Il était beaucoup trop jeune, il n'avait même pas fini de grandir. Il fallait lui laisser le temps. Il pouvait devenir quelqu'un de très bien, un héros peut-être! Ce serait dommage de finir si tôt, le monde risquait, par un geste inconsidéré, de se priver de...

Pfff... D'accord, pour l'instant, il n'était pas très musclé des épaules, un peu creux de poitrine, mais il était assez élancé pour avoir un jour une certaine prestance (peut-être...). Il avait de bonnes jambes, qui marchaient bien, des bras longs (c'est utile) et qui pourraient très bien forcir s'il s'entraînait un peu au lancer (d'ailleurs, il était déjà le roi du ricochet). Oui, ses mains étaient maigrichonnes, mais nerveuses, ses pieds minces et secs, mais agiles, il était même capable de remuer ses orteils indépendamment les uns des autres. Il pouvait encore devenir quelqu'un.

Plaisanter avec soi-même se révélait souvent le meilleur moyen de se détendre, mais là, c'était raté, cela ne le soulageait aucunement. Il jeta un regard méfiant autour de lui. L'ambiance était plus que morose. On parlait à voix basse, on étouffait quelques gémissements. Il n'y avait qu'une torche pour éclairer la nuit de la prison, et il se trouvait dans le coin le plus sombre... Il pouvait le faire...

Le plus discrètement possible, il glissa son pouce droit dans son oreille et posa son auriculaire contre sa narine. Saint Garin, protégez-moi.

Il avait réussi à exécuter le bon geste, cela le rassura. Et soudain, il pensa: « Ma boîte! Je n'ai plus ma boîte! »

Voilà qu'il se sentait tout seul, tout nu. « Ma boîte... »

De colère subite et de désespoir, il repoussa violemment un pied vêtu de fer qui empiétait sur la place qu'il estimait être la sienne. Il le regretta illico quand il vit l'homme se redresser d'un bond agressif. Il fit sans hésiter celui qui dormait.

Les autres – quarante au moins, dans ce maudit cul-de-basse-fosse – parlaient en anglais et en français, tout mélangé. Il n'y en avait qu'un qui ne disait jamais rien. Garin le voyait très bien à la lueur de la torche qui les veillait : il se tenait les genoux repliés, le dos à la muraille, et ne regardait personne.

Garin soupira. Ça sentait mauvais, pire que l'étable chez les moines.

Les moines, c'était à cause de l'emprunt qu'il avait fait à l'école. Le chantre était sorti de derrière la fameuse statue de la Vierge, et l'avait agrippé par le col – dont un morceau lui était d'ailleurs resté dans la main tant il était usé. Il lui avait tiré les cheveux en arrière et avait sifflé entre ses dents :

– Mauvaise graine, mauvaise graine ! Tu n'as pas huit ans, et déjà tu es sur le chemin de la perdition.

Garin s'était toujours demandé ce qui faisait penser au chantre qu'il avait moins de huit ans, parce que lui-même n'en avait aucune idée. Il ignorait en quelle année il était né, sa mère ne s'occupant pas de ce genre de détail.

Il avait – ou non – huit ans, et il se voyait déjà en prison. Mais non. Le chantre n'était pas si mauvais : il avait soutenu qu'un séjour au couvent lui ferait plus de bien qu'une geôle pourrie, et l'avait expédié de sa poigne de fer dans un monastère reculé d'un pays dont il ne savait rien, et où les moines passaient leurs journées dans le silence, à prier ou à recopier des manuscrits.

Garin ne regrettait rien. Cet « emprunt » lui avait finalement sauvé la vie, car tout cela se passait en cette fameuse année 1348*, inutile de s'étendre là-dessus.

L'épidémie ne passa pas la porte du monastère. Celui-ci devait être trop silencieux, elle n'avait pas compris qu'il y avait du monde dedans.

De ce temps, Garin n'avait plus eu la moindre nouvelle de sa famille. Il était vraisemblable qu'il n'en était pas resté beaucoup après le passage de la Dame Rouge**. Parfois, il se demandait combien il avait encore de frères et de sœurs vivants. Mais quelle importance ? Sans doute ne les reverrait-il jamais.

Ah ! Un coup au cœur. Les gardes n'ont pas leur pareil pour ouvrir violemment une porte de prison au moment où vous avez enfin réussi à vous assoupir. L'espace d'un éclair, Garin vit sa dernière heure venue.

... Bon. Pour l'instant, il était toujours vivant.

– Vous sortez ! Tous !

---

* Année de la grande épidémie de peste, qui ravagea toute l'Europe.
** Dame Rouge : un des noms que l'on donnait à la peste (il fallait éviter de prononcer le mot « Peste » de peur de l'attirer).

Garin, qui se trouvait le plus près de la porte, fut saisi par l'épaule.

– Ton nom ?

– Garin Trousse... château.

Ce n'était pas cela ! Il sentait que ce n'était pas cela !

– Tu as dit Trousseanglais, hier !

– C'est... c'est exact : Trousse-anglais-du-château. C'est mon nom complet.

On le poussa brutalement hors de la prison, dans le passage voûté qui trouait l'énorme mur pour donner accès à la cour.

– Ton nom ?

Ça s'adressait au suivant. Celui-ci dit un nom imprononçable. Garin ne voyait pas du tout comment ça pouvait s'écrire, et – vieux réflexe – il le tourna dans sa tête.

– Ton nom ?

Le nom du suivant était encore pire.

Chacun se présenta, précisant après son nom s'il était chevalier, écuyer ou simple piquier, archer ou arbalétrier. Personne n'écrivit rien. Garin se demanda comment on pouvait retenir tout ça, mais peut-être bien que personne ne savait écrire, ici.

L'opération semblait se dérouler dans le calme, quand soudain voilà que le capitaine de la garnison se mit à crier et à menacer. D'instinct, Garin se colla à la muraille. Ouf ! Ça ne se passait pas de son côté. Il se détendit un peu, en profita pour progresser discrètement dans le couloir, et risqua un regard vers l'extérieur : évidemment, la sortie était gardée par deux hommes armés.

D'où il se trouvait, il apercevait la cour intérieure du château, un fauconnier, reconnaissable à son chapeau, et des serviteurs qui, tout en faisant semblant de vaquer à leurs occupations, ne perdaient rien de ce qui se passait du côté de la prison.

On s'entassait maintenant dans le passage voûté, car dès qu'un prisonnier avait dit son nom, il y était poussé avec les autres. Peu à peu, le groupe refoulait Garin vers la sortie, si bien qu'il se retrouva bientôt dehors, menacé par les lances vraiment peu sympathiques des deux hommes de garde.

Enfin, on le tira sans ménagement par sa cape, et il se retrouva premier de la longue file de prisonniers. On les fit entrer de nouveau dans cette grosse tour qui semblait être le donjon, mais par une autre porte, donnant sur l'étage immédiatement supérieur. Ici, nul doute, on était dans la salle des gardes. Ça sentait un peu le moisi. Il n'y avait pas de feu dans la cheminée. Normal, après tout, on était déjà en avril. Garin s'appliqua à penser à cela. S'il voulait s'en tirer, il ne fallait pas qu'il ait l'air d'avoir peur. « Si tu as peur, c'est que tu as des raisons d'avoir peur, c'est donc que tu es en tort. » Avec sa mère, c'était comme ça : quand elle les accusait d'avoir chapardé un morceau de pain ou renversé le lait, c'est toujours celui qui faisait un vague geste pour se protéger qui prenait les coups. Et elle se trompait rarement.

Donc, il n'y avait pas de feu dans la cheminée. On était en avril. Avril 1354.

Des pas. Messire du Guesclin pénétra dans la salle des gardes, suivi de plusieurs de ses compagnons d'armes.

– Nous savons tous les noms, expliqua le capitaine de la

garnison, sauf pour celui-ci. Impossible de lui faire ouvrir la bouche.

De son gantelet de fer, il désignait le jeune homme que Garin avait repéré dans la prison, et qui ne parlait à personne. Peut-être était-il muet ?

Messire du Guesclin fit quelques pas de long en large. Il était en armure, ce qui paraissait un peu étrange – était-il déjà prêt à partir ? – et surtout, il s'agissait d'une armure imposante, constituée d'énormes plaques de fer. Ça ne devait pas être facile à enlever une fois qu'on l'avait revêtue.

– Hugues de Calveley, prononça-t-il calmement. Tous ces hommes sont-ils bien de vos gens ?

Le nommé Calveley répondit sans se départir d'une indifférence voulue :

– Pas celui-ci, ni celui-ci.

Il le désignait, lui, Garin, et l'autre, le jeune homme étrange.

– Toi, Garin Troussequelquechose, reprit alors du Guesclin, peux-tu nous expliquer ce que tu faisais là ?

– Je dormais au bord du chemin, messire, simplement. Je suis scribe de mon état, je parcours les routes et je loue mes services. Si je me suis trouvé à cet endroit, c'est par un pur hasard.

– Scribe... murmura du Guesclin, joli mot. Bien. Bien.

Puis, se tournant vers le capitaine de la garnison, il interrogea :

– Y a-t-il des prisonniers intéressants ?

– Certes, messire, plusieurs chevaliers.

– Combien valez-vous ? demanda-t-il à la cantonade.

Puis, désignant un homme :

– Vous?

– Six cents écus.

– Vous?

– Mille écus.

Calveley eut une petite grimace qui laissa à penser que l'homme se surestimait.

Deux grands chiens lévriers entrèrent dans la salle et, tandis qu'un des compagnons de du Guesclin faisait les comptes, ils entreprirent de flairer avec méthode les nouveaux venus.

– Bonne prise! déclara enfin le comptable. Nous pouvons espérer environ dix mille écus de rançon. Plus celui-ci.. quand on saura de qui il s'agit.

Du Guesclin s'approcha alors du jeune homme, le regarda fixement puis, tournant brusquement la tête, il s'adressa à Calveley:

– Qui est-ce?

– Je l'ignore. Il s'est joint à nous récemment, c'est la seule chose que je sache. Personne ne connaît son nom. Tout ce que je puis dire, c'est qu'il ne parle pas anglais et qu'il se bat bien.

– Demandez-lui combien il vaut. A combien il estime sa rançon.

– Je ne le comprends pas. Il parle la langue du pays de Galles, et quant à moi, j'ai plutôt l'habitude de m'exprimer en anglais ou en français.

Du Guesclin frotta son menton brun, qui rendait un son de meule à grain.

– Toi!

Garin sursauta. C'est à lui qu'on s'adressait.

– Toi, puisque tu sais écrire, tu vas nous rédiger les demandes de rançon.

Il détourna la tête et, s'adressant aux autres, il dit:

– Vous êtes bien entendu prisonniers sur parole. Je compte donc que vous ne chercherez pas à vous enfuir.

Chacun prêta le serment, selon les lois de la guerre, qu'il ne s'échapperait pas, sauf le drôle d'Anglais, naturellement.

Garin, lui, poussa un vrai soupir de soulagement, et remercia saint Garin d'avoir veillé sur lui.

Le drôle d'Anglais, il était clair qu'on ne savait pas trop quoi en faire.

– La langue du pays de Galles... intervint alors le capitaine de la garnison... On dit, messire, qu'elle ressemble beaucoup au breton.

Garin écoutait à peine. Voilà que soudain, il repensait à sa boîte. Sa boîte! Trois beaux parchemins, des plumes toutes taillées – un paquet de merveilleuses plumes d'oie neuves, des plumes d'aile gauche, les meilleures, qu'il avait eues dans une ferme juste la veille, en paiement de l'écriture du nom de la fermière... Marie... elle regardait les lettres de son nom comme si ça la faisait naître une deuxième fois, comme si elle existait enfin puisque son nom était là, creusé au couteau sur un bout de planche. Donc, des plumes neuves, son encre – pourvu qu'elle ne se soit pas renversée ! Pourvu que personne n'ait volé sa boîte !

– Mon écritoire ! s'écria-t-il d'un coup. Messire, il me faut retrouver mon écritoire !

On le toisa d'un regard sévère. On avait autre chose en tête ! Sans accorder plus d'attention à Garin, du Guesclin demanda :

– Quelqu'un sait-il le breton ?

Dans l'assemblée, on se questionna du regard.

– Personne ne sait parler le breton ?

– Nous sommes tous d'ici, expliqua le capitaine de la garnison. Aucun de mes hommes ne vient du pays bretonnant*.

Garin, lui, parlait parfaitement le breton (depuis qu'il avait fait un séjour chez les moines de Bégard), mais il ne tenait aucunement à se mêler de ça.

A ce moment entra dans la pièce la maîtresse des lieux, la dame de Montmuran.

– J'entends qu'on demande quelqu'un qui parle le breton ?

– Nous sauveriez-vous ? interrogea du Guesclin d'un ton d'espoir.

– Moi non, messire, mais ma nièce peut-être, Mathéa, la fille de mon cousin Alain, celui dont vous avez fait la connaissance hier – et à qui je compte confier la garde du château en mon

---

On ne parlait breton que dans la moitié ouest de la Bretagne absence... Qu'on demande à Mathéa de nous rejoindre le plus vite possible.

Un garde s'éclipsa aussitôt.

Un silence s'installa. Garin, naturellement, ne pensait qu'à son écritoire, gisant, dans le meilleur des cas, au bord d'un fossé, sur un sentier boueux.

La conversation évoqua vaguement un départ pour le lendemain. On emmènerait les prisonniers jusqu'à une ville du nom de Pontorson, que Garin ne connaissait pas, mais qui semblait se trouver au-delà des Marches de Bretagne**. Et lui, devrait-il y aller aussi ?

Il ne semblait pas être question de retour immédiat. Le château de Montmuran serait confié à ce cousin (un de ceux qui apparemment assistaient au banquet de la veille) mais Garin n'avait pas à ce moment la tête à observer les gens, et maintenant il s'en moquait, car la seule chose qui le tourmentait, c'était son écritoire.

Il en était là de ses réflexions lorsqu'elle entra. Elle.

Il resta comme ça, tout ébahi, comme le poisson sur l'étal. La plus jolie jeune fille qu'il ait jamais vue. Elle avait les joues un peu roses d'être convoquée devant tant de monde, tant d'hommes en armes, en cotte de mailles, en admiration. Parce qu'ils étaient tous en admiration, il n'y avait pas que lui.

On lui demanda d'adresser la parole en breton au drôle d'Anglais.

C'est à peine si elle lui jeta un regard. Elle avait des yeux

---

** Marches de Bretagne : zone frontière, entre la Bretagne et la France.

sombres, profonds, mis en valeur par la blondeur de ses cheveux, qu'elle portait tressés en une seule natte, dans le dos. On sentait qu'elle luttait un peu pour garder un maintien irréprochable et ne pas se montrer intimidée. Enfin, elle s'approcha tranquillement du prisonnier, et l'interrogea sur son identité.

Le jeune homme semblait la regarder sans la voir. A ce qu'en comprit Garin, il dit (c'est vrai que la langue du pays de Galles ressemblait terriblement au breton) il dit que son bateau avait chaviré pendant sa traversée pour venir d'Angleterre, qu'il s'était presque noyé et que, quand on l'avait secouru, il était sans connaissance. Depuis, s'il n'avait jamais donné son nom à personne, c'est qu'il ne s'en souvenait absolument pas.

Elle – la belle Mathéa – avait compris la même chose que Garin. Elle traduisit exactement tout en français, puis elle demanda si on n'avait plus besoin d'elle, et s'en alla comme elle était venue.

Garin ne pensait plus à son écritoire.

Une discussion animée s'éleva alors dans les rangs de ceux du château. On était très ennuyé d'ignorer l'identité de l'homme, d'autant que, s'il n'était pas gentilhomme, on ne pouvait lui demander de demeurer prisonnier sur parole. Donc, impossible de l'emmener jusqu'à Pontorson. D'un autre côté, risquer de le perdre alors qu'il représentait peut-être une bonne rançon serait une sottise. Finalement, on ne savait qu'en faire.

– Mettez-le dans la geôle, nous le laisserons ici en attendant. Toi, ton écritoire !

– . . Moi... mon écritoire ? Oui, mon écritoire. Elle est restée là-bas, sur le chemin où on s'est battu. Enfin, sur le chemin où vous vous êtes battus, vous et les Anglais.

– Si j'ai bien compris, tu n'es pas breton, tu es donc français.

– Pas sûr.

– Tu n'es de nulle part ?

– C'est peut-être ça. Je suis juste un enfant trouvé dans le creux d'un chêne. C'est le hibou qui habitait là qui m'a signalé aux passants. Il avait commencé à me nourrir d'insectes, mais je mangeais beaucoup, ça lui demandait trop de travail.

Le capitaine de la garnison jeta à Garin un regard en coin. Sûr qu'il ne croyait pas un mot de son histoire – assez jolie pourtant – et Garin eut vaguement l'impression qu'il venait de se faire un ennemi. Il préféra changer rapidement de sujet :

– Il me faut mon écritoire d'urgence, messire, et qu'on me trouve du parchemin pour rédiger toutes ces demandes de rançon.

3

SON ÉCRITOIRE! IL L'AVAIT! LA
SEULE CHOSE QUI LUI APPAR-
TIENNE, SON AMIE, SON GAGNE-
PAIN, LA CONFIDENTE DE SES AVENTURES
imaginaires. L'écritoire. Avec ses coups de couteau à l'angle, là
où il taillait ses plumes, ses cicatrices, la grande rayure du
fond – dont il raconterait l'histoire si un jour il en avait le
temps – la marque du coup de marteau du pâtissier – autre histoire! Tout. Son écritoire, quoi! Volée par personne, nettoyée
de la boue du chemin et du sang de la bataille.

Garin s'assit sur le banc de pierre de la salle d'entrée, qui
n'était pas à proprement parler une salle, puisqu'elle n'était
fermée que d'un côté par une énorme porte qui défendait
l'accès, et ouverte sur les trois autres par trois arcades donnant sur la cour intérieure.

Garin souleva avec précaution le couvercle de sa boîte, sans
attention pour les gardes qui faisaient les cent pas, attendant
visiblement des ordres, et commença à vérifier son contenu.

Rien ne manquait, pas même le sablier ni le pain de cire à cacheter, mais quand il souleva le parchemin du fond, il s'aperçut que sa corne à encre avait coulé, et que toute une face du parchemin était tachée. Misère!

Il fut distrait de son dépit par un énorme couinement: on faisait tourner sur ses gonds la lourde porte, et Garin aperçut un premier espace, fermé par une herse, qu'on releva. Enfin le gros balancier de bois remonta, faisant bâiller le pont-levis, qui retomba dans un gros «plong». Un courant d'air glacial balaya aussitôt la salle d'entrée. La partie levante du pont s'était posée très exactement à l'extrémité du pont fixe qui franchissait la moitié des douves. Magique! Non, pas magique: il suffisait de calculer la longueur du pont, la longueur des chaînes qui le tenaient à ses gros bras de bois, la longueur des bras... Des centaines d'années d'expérience.

Un roulement. Une charrette venait de s'engager sur le pont. Une charrette de foin. Au moment où elle passait devant Garin, on referma la herse. Ne pas oublier qu'on était en guerre, même si, pendant la guerre, hommes et bêtes devaient continuer à manger.

Donc... Garin revint à ses préoccupations. Il sortit sa tablette, qui était rangée dans le couvercle de sa boîte, en lissa rapidement la cire d'un revers de main expert, et commença de dessiner le pont-levis, ses fléaux, ses chaînes. Voilà, si on veut que tout s'articule bien, il faut que la longueur des fléaux soit égale à...

Ses calculs furent interrompus par les cris de deux enfants qui, sortis d'on ne savait où, bondirent dans la charrette de

foin et s'y roulèrent en poussant des hurlements guerriers.
Des bottes entières volèrent par-dessus bord.

Une femme, en riche robe de velours marron, déboucha
alors de l'escalier d'une des tours.

– Réginart! appela-t-elle d'un ton un peu courroucé. Que
faites-vous? Descendez immédiatement.

L'enfant interpellé, sans cesser de rire, sauta à bas de la
charrette.

– Réginart! Ne pouvez-vous vous
montrer plus raisonnable? gronda
la femme

Elle tira l'enfant de côté, sans doute pour éviter les oreilles des gardes, et continua :

– Avez-vous réfléchi à notre position ?

Puis, s'apercevant que Garin se trouvait derrière elle, elle reprit d'un ton plus modéré :

– Vous êtes le fils du seigneur Alain, qui a la difficile mission de veiller sur ce château en l'absence de dame Jeanne, sa cousine. Vous devez vous montrer digne de votre nom. et ne pas vous rouler dans le foin avec les fils des palefreniers.

L'enfant baissa le nez et. d'un air soudain très grave, il dit :

– Oui, mère, j'y veillerai

La charrette s'éloigna vers le fond de la cour. tandis que les serviteurs ramassaient en bougonnant le foin tombé.

Tant de monde ! Cela faisait longtemps que Garin n'avait pénétré dans un château. Hormis les geôles, il n'en avait pas encore vu grand-chose. Il se leva.

A ce moment lui tomba dessus une sorte de diable poilu. Il n'eut même pas le temps de crier.

- Sans-peur ! appela une voix de femme.

Le diable poilu retomba aussitôt à terre.

– Ne craignez rien, dit la voix, il voulait juste vous sentir

– Me... sentir ?

Garin considérait d'un air probablement très niais la jeune fille qui se tenait devant lui. Il n'était pas capable de trouver un mot. Il n'y a pas de mot pour les apparitions, ou alors elles s'évanouissent

La jeune fille A ses pieds, un grand chien au poil hirsute levait vers elle des yeux affectueux.

– Il s'appelle Jean-sans-peur, dit l'apparition. C'est le chien de notre écuyer, Bredan. Il est vieux, vous savez, et il ne vous fera aucun mal, car il aime les gens.

Garin ne put faire qu'un « Ah » d'une bêtise à pleurer.

– Vous êtes le scribe, n'est-ce pas ?

– C'est ça.

– Je suis Mathéa, la fille du seigneur Alain et de dame Agnès.

– Je sais, bredouilla Garin.

Puis, reprenant enfin un peu d'assurance, il finit :

– Vous avez aussi un petit frère, qui vient de faire du dégât dans le foin.

Mathéa rit.

– Réginart, oui. Il ne peut pas s'empêcher de bouger, mais il n'est pas méchant.

Sur ces mots, elle s'éloigna, suivie comme son ombre par le chien.

« Jean-sans-peur ! se dit Garin. Sans cervelle, oui ! »

Mais ce qui le rendait bougon, c'était plus l'idée qu'il devait quitter ce château pas plus tard qu'aujourd'hui, et donc aussi cette belle jeune fille – même s'il ne pouvait de toute façon rien espérer d'elle. Tout ça pour une histoire de demandes de rançon à rédiger sur le chemin. Sur le chemin ! Avait-on jamais vu écrire en marchant ?

Il se montrait d'une parfaite mauvaise foi – on lui avait dit qu'il écrirait pendant les haltes. Les haltes ? Bah ! Juste comme on est fatigué, et que la main peut trembler !

Dans la cour, on entendit des ordres secs, comme seuls

savent en crier les gens d'armes. Garin mit son écritoire en bandoulière · pas question de la laisser n'importe où – et s'avança vers la cour.

Il sortit par l'arcade sud du porche, qui lui parut plus discrète. Discrète... n'était peut-être pas le mot qui convenait; certes, elle donnait sur la plus petite partie de la cour, mais il y avait là des tas de remises, fourmillant de serviteurs de toutes sortes, et un escalier qui donnait sans doute accès à la tour sud du châtelet d'entrée.

Garin s'appuya au pilier. C'était une vieille sécurité: toujours savoir ce qu'on a derrière soi.

Au milieu de la cour du château, du Guesclin rassemblait ses hommes, et aussi les prisonniers anglais. Apparemment, on avait un peu soigné leurs blessures: ils portaient maintenant des bandages. Il faisait soleil, ce qui empêchait qu'on s'apitoie sur leur sort. Étrange disposition de l'esprit humain !

De toute façon, Garin ne voulait surtout pas se mêler de cette affaire entre Bretons et Bretons, Anglais et Français, et qui encore? Les prisonniers étaient les prisonniers, cela ne le concernait pas.

C'est sans doute à cause de ces pensées coupables – mais coupables de quoi? – qu'il sursauta quand il vit le capitaine de la garnison du château se diriger droit vers lui.

C'était un homme tout raidi par des années de « gens-d'armesque » (Tiens! Garin aimait bien son nouveau mot), qui donnait toujours l'impression qu'il allait vous menacer d'un coup d'épée.

– Dame Jeanne vous demande, dit-il sèchement, ou du

moins de la seule façon qu'il connaissait : « gens-d'armesquement »

Intrigué, Garin le suivit imitant sans le vouloir l'allure roide du capitaine. Il monta, tout aussi roide, l'escalier de la tour sud, jusqu'à l'appartement où l'attendait la dame de Montmuran.

– Voici, annonça-t-elle sans fioritures. Nous partons immédiatement pour Pontorson, et la pensée m'est venue que nous trouverons bien quelqu'un d'autre là-bas pour rédiger ces demandes de rançon.

« Catastrophe ! se dit Garin avec la plus parfaite versatilité, un travail perdu ! »

– Par contre, continua la dame, j'ai plus important à vous confier. Mon époux, Jean de Tinténiac, seigneur de Montmuran, fut tué à la bataille de Mauron, voilà deux ans déjà, et sa succession n'est pas réglée. Il faudrait pour nous y aider que vous fassiez l'inventaire de tout ce qui se trouve dans ce château, et que vous le notiez. Vous trouverez le parchemin qu'il vous faut dans ce coffre.

Garin porta les yeux sur la longue caisse de bois qu'on lui désignait. Au-dessus du coffre, par l'étroite fenêtre, on voyait le vert des arbres et le bleu du ciel, jusqu'au bout de l'horizon.

Ainsi, il ne reprendrait pas son chemin. Et voilà qu'il ne savait plus s'il en était heureux ou triste. Décidément, dès qu'il avait quelque chose, c'est le contraire qui lui parais sait le meilleur.

– Pour le parchemin, ajouta la dame, si vous croyez devoir en manquer, économisez-le, et usez d'abréviations autant que vous le pourrez.

– Je ferai selon votre vouloir, dit Garin en inclinant la tête.

Il se sentit aussitôt envahi par une excitation subite : Ah ! fouiller dans les coffres, les recoins, découvrir mille trésors avec, pour excuse, sa plume à la main !

Décidément, il ne comprendrait jamais rien à ses propres humeurs.

Garin redescendit de la tour tout guilleret. A lui le château, les trésors et les jolies jeunes filles !

– Attendez ! rappela la dame.

Garin s'arrêta net au milieu de l'escalier.

– J'ai oublié de vous en avertir : votre mission s'arrête à la porte de la pièce la plus haute de la tour nord-est. Vous ne devez pas y pénétrer.

Garin vit aussitôt du sang sur la pierre, des enfants égorgés, une jeune fille enfermée qui attache en pleurant un message à la patte de son pigeon voyageur, mais la dame finit :

– L'homme qui y vit est très vieux et très... susceptible. Les objets de cette chambre lui appartiennent, vous n'avez donc pas à les inventorier.

Ah ! pas de belle prisonnière ni de pigeon voyageur, pas de sang sur les dalles...

Il se fraya un passage entre les poules qui caquetaient à tue-tête parce que le paon les attaquait. Étaient-elles sur son territoire ? Garin les ayant dérangées, elles se réfugièrent sous le porche, et le paon vainqueur se rengorgea, déployant sa queue en une magnifique roue tout irisée.

Au fond, on voyait la forge rougeoyer. Un tonnelier finissait de cercler son tonneau. Les lavandières se préparaient à sortir, leur panier de linge sur la tête.

Il restait au château.

Comme il est agréable d'observer l'agitation d'un départ sans bouger le petit doigt ! Sur la droite de la cour, il y avait une fontaine. Deux caniches, montés sur la margelle, y buvaient goulûment. Garin s'assit près d'eux.

Des sergents du château passèrent les bras chargés d'arcs plus grands qu'eux, de ces arcs gallois qu'utilisaient les archers anglais, et qui appartenaient donc certainement aux prisonniers. A ce qu'on disait, ces arcs pouvaient tirer douze flèches en l'espace d'un soupir, et si loin que l'œil ne les percevait plus. De beaux arcs en érable et en if. Garin pourrait bien s'arranger pour en subtiliser un ! Sur le nombre ça ne se verrait pas... Bah ! et pour quoi faire ! C'était beaucoup trop encombrant pour un voyageur.

Garin leva la tête : il venait de reconnaître la voix de Bertrand du Guesclin. Oui, c'était bien lui, qui s'approchait de la fontaine, en grande discussion avec le seigneur Alain, nouveau gardien de ce château.

– Je l'ai fait enfermer dans la petite geôle du donjon, disait-il. Ne le laissez jamais sortir.

– Comptez sur moi, je me méfie de lui.

– Tout de même, ajouta du Guesclin au bout d'un moment,

je donnerais cher pour savoir qui il est. Mais je le saurai!

– Croyez-vous qu'il mente? demanda sire Alain. A votre avis, a-t-il vraiment perdu la mémoire ou joue-t-il la comédie?

Du Guesclin ne répondit pas. Il semblait réfléchir. Finalement, il prit dans ses mains de l'eau à la fontaine, et la rejeta en déclarant:

– Je le saurai. Je fais vœu de...

Comme il hésitait sur le vœu, le seigneur Alain intervint:

– Je vous en prie, ce ne serait pas raisonnable de vous engager, puisque vous serez loin, et donc moins en mesure de découvrir son identité que moi-même. Permettez que je prenne sur moi cette responsabilité: je fais vœu de ne pas me raser avant d'avoir résolu cette affaire.

Du Guesclin se mit à rire.

– C'est bon, dit-il, je vous laisse le vœu, le vœu et le château

Il prit de l'eau entre ses mains, et cette fois, il la but, tandis que le seigneur Alain, hochant la tête, promettait:

– J'y veillerai...

Puis il ajouta:

– Laissez-vous beaucoup d'hommes ici?

– Je suis hélas obligé d'emmener une forte escorte pour les prisonniers: nous pourrions bien nous faire attaquer. Mais je reviendrai bientôt. D'ici là, jouez la prudence. Je vous laisse Briselance, le capitaine de la garnison, et quelques hommes. Vous avez aussi cet écuyer, Bredan, ce grand barbu, fort comme un cheval, qui me semble dévoué.

– ... Oui... émit Alain, d'un ton qui laissait planer un doute.

– Ce n'est pas un bon combattant?

– Si si. Excellent homme d'armes.

Garin suivit le regard du sire Alain, qui se portait vers le fond de la cour. Il y avait là l'écuyer Bredan, en grande conversation, semblait-il, avec Mathéa.

– Si si, répéta distraitement le sire Alain.

Garin ne pouvait détacher ses yeux des deux silhouettes, près des remparts, Mathéa semblait toute petite et menue à côté du géant à barbe rousse et à cheveux gris. Ils paraissaient se parler comme de vieux amis, voire échanger des confidences. Quelles confidences ?

Garin sentit un vague pincement de jalousie. Quels étaient leurs rapports, à ces deux-là ? Lui, il aurait largement l'âge d'être son père à elle, et même son grand-père.

« Je fais le vœu, se dit Garin, de ne pas me raser avant d'avoir découvert la nature de leurs relations. »

Il ne prenait pas grand risque : il n'avait pas de barbe au menton, aucun poil n'ayant encore daigné se montrer.

Les chariots sortaient de leur remise. On attelait les chevaux. Ça piaffait et ça hennissait de partout. Les hommes en armes sanglaient leur monture. Ce qui est le plus pénible, dans les départs, c'est le bruit.

Les dames qui partaient (Jeanne et sa fille Isabeau) saluèrent les dames qui restaient (Agnès et sa fille Mathéa). Les hommes se firent les dernières recommandations.

Enfin, les gardes – à cheval, les prisonniers – à pied, les chariots – à roues – s'engagèrent sous la voûte du porche, traversèrent le grand hall d'entrée, passèrent sous la herse et firent résonner le pont-levis.

Au moment où le nommé Calveley passait devant lui, le regard fixé sur un horizon qu'il ne pouvait voir, une question subite frappa Garin : l'homme ignorait-il vraiment l'identité du prisonnier du donjon, ou voulait-il simplement la cacher ?

UN GRAND DÉSERT. LE CHÂTEAU RESSEMBLAIT À UNE COQUILLE VIDE. POURTANT, UN BON NOMBRE DE SERVITEURS étaient restés, des gardes, des sergents, des poules et des chiens.

«Bien, se dit Garin, le château est à moi.»

Il se planta au milieu de la cour, fermée de hauts murs et protégée par ses tours. La sécurité.

Devant lui, la salle aux trois porches, qui était surmontée d'une construction à vitrail. Une chapelle au-dessus de l'entrée? Garin regarda la position du soleil: oui, cet édifice était tourné vers l'Orient, et un édifice orienté* avait toutes les chances d'être une chapelle. Étrange...

De part et d'autre, on apercevait le dos des deux tours portières. Vers le sud, une tour. Vers le nord, deux autres,

---

* Orienté signifie tourné vers l'Orient, c'est-à-dire vers l'est.

accolées, dont la plus grosse tenait lieu de donjon. Derrière, une tour au nord-est, une au sud-est. Simple.

Sept tours, un chemin de ronde protégé par des mâchicoulis, couvert à certains endroits. Bonne précaution. Quand il pleut (Garin le savait pour l'avoir vécu au château de Tonquédec) il est difficile de rester là, sur le chemin de ronde, à guetter l'ennemi ; on finit par penser davantage à la pluie qui s'infiltre partout et aux rhumatismes qui se réveillent qu'à surveiller les fourrés.

Il songea soudain... ses yeux se portèrent sur la tour du nord-est et, sans qu'il sache pourquoi, une association se fit immédiatement avec la lueur entrevue la veille au soir, une lueur qui, sur le moment, lui avait paru presque diabolique. D'ici, on ne voyait aucune fenêtre au dernier étage. Normal, une tour, c'est fait pour surveiller l'ennemi, donc l'extérieur, car si l'ennemi est à l'intérieur, il est déjà trop tard. Cette fenêtre... il aurait bien voulu vérifier...

Le pont-levis avait été refermé, mais la petite porte réservée aux piétons restait ouverte. Garin laissa son écritoire dans la salle basse où on entreposait les armes, en recommandant qu'on n'y touche pas, et s'engagea sous la voûte qui s'ouvrait à gauche.

Il se retrouva dans un passage étroit, menant d'un côté vers la porte, et curieusement fermé de l'autre par une petite cheminée. Un homme de garde s'y chauffait les mains en bavardant avec deux servantes.

– Où vas-tu ? demanda le sergent en l'arrêtant net.

– Là, juste devant.

– Prends garde. J'ai ordre de relever la passerelle à la moindre alerte, et si tu es dehors, tant pis pour toi.

– Mais... des femmes sont sorties tout à l'heure.

· Elles reviennent, regarde !

Effectivement, escortées par quatre hommes d'armes, les lavandières étaient de retour, leur panier à linge sur la tête, et de gros bouquets d'iris d'eau dans les bras, sans doute pour recouvrir de frais le sol des grandes salles.

– Je me dépêche, promit Garin.

Il franchit en courant les énormes fossés. Non vraiment, pas de raison de s'y noyer, inutile pour l'instant d'apprendre à nager. S'ils étaient diablement profonds, ils n'abritaient qu'un marécage herbu, pas le fleuve sans fond de ses terreurs. Il gagna les lices encore boueuses du dernier tournoi.

D'où il se tenait, Garin ne voyait vers le nord que la plus petite des deux tours accolées. Il fallait aller plus loin... Il examina les environs avec méfiance (après avoir été capturé par des Français, cela ne lui disait rien d'être fait prisonnier par des Anglais), et essaya de retrouver le chemin par lequel il était venu la veille, avec les lances qui lui piquaient les côtes... Bon, un peu plus au nord, en reculant un peu... Là ! Bien sûr, il n'avait pas rêvé : une fenêtre s'ouvrait bien tout en haut de la tour nord-est.

Et comme par hasard, c'était là qu'il n'avait pas le droit d'aller... ou du moins, qu'il n'avait pas *besoin* d'aller – il n'était pas sûr de l'interprétation qu'il fallait donner aux paroles de la dame de Montmuran.

Ses yeux revinrent vers le châtelet d'entrée, la porte armée jusqu'aux dents, protégée par de forts mâchicoulis, flanquée de ses deux tours : s'il avait bien compris, la famille du seigneur Alain logerait désormais dans les pièces du troisième étage, juste au-dessus de la salle des manœuvres.

Sans raison, il poussa un soupir.

Des cris ! Il eut un mouvement pour se précipiter vers la porte – sans être peureux, on peut être prudent ! – mais ce n'était qu'un paysan, tenant par les pattes une poule qui s'évertuait à protester violemment, sans résultat aucun, car son porteur n'y prêtait pas la moindre attention.

A croire que le capitaine de la garnison surveillait tout depuis la salle des manœuvres : il sortit presque immédiatement pour venir à la rencontre de l'homme.

– Tu apportes des nouvelles ?

– Non, point de nouvelles.

– Tu n'as donc rien vu d'intéressant ?

– Rien... dit le paysan d'une voix traînante.

Le capitaine de la garnison émit un petit sifflement méprisant.

– Sale engeance, grogna-t-il entre ses dents, impossible de compter sur eux. Vous n'êtes pas seulement les paysans de ces terres, vous êtes aussi ses guetteurs. Comment voulez-vous que le seigneur vous protège, si vous ne lui donnez aucune information ?

– C'est que je n'ai rien vu !

– Rien vu ? On s'est battu à la nuit sur le chemin du château et tu n'as rien vu ?

Le paysan se dandina d'un pied sur l'autre. S'il avait osé, s'il avait pu, il aurait demandé ce que pouvait aujourd'hui signifier « protéger ». Bien sûr, il pouvait se réfugier au château en cas de danger, mais dans cette guerre maudite à laquelle il ne comprenait rien, il avait autant à craindre des alliés du seigneur que de ses ennemis : les uns se nourrissaient de ses réserves, puis brûlaient ses récoltes pour que les autres ne trouvent rien à manger. Quels que soient les uns, quels que soient les autres, on finirait bien par crever de faim.

– Donc, tu n'as rien vu, rien entendu ? reprit le capitaine d'un ton excédé. Pourquoi viens-tu, alors ?

– C'est pour la justice.

Ah ! la poule devait certainement payer le prix de cette justice.

– Pas de justice en ce moment. Le seigneur Alain n'est que le gardien des lieux, et la dame du château est absente.

– Elle est partie pour longtemps ?

Le capitaine ne répondit pas à la question.

– Reviens dans un mois, lâcha-t-il à contrecœur.

Le paysan eut un geste d'impuissance et de dépit. Il suivit des yeux le capitaine de la garnison qui venait de tourner gensd'armesquement les talons pour réintégrer le château, et émit un grognement mécontent.

Garin ne put s'en empêcher... – il aimait parler à tout le monde – il apostropha le paysan :

– Eh ! Ne t'en fais pas, tu as gagné.

– Gagné !

– Dame ! La justice t'aurait peut-être donné tort dans ton affaire.

– Sûrement pas : c'est le Jouannet qui me vole des œufs à chaque fois que mes poules pondent dans le taillis.

Il faudrait encore en faire la preuve, fit remarquer Garin.

Tu n'aurais peut-être pas gagné, alors que là, au moins, tu as gagné quelque chose.

– Quoi?

– Tu gardes ta poule.

– Eh eh! ricana le paysan. Futé, va!

Son ton était sarcastique, mais au regard qu'il lança à sa poule, Garin comprit qu'elle ne tarderait pas à bouillir dans le pot. Et tant pis! Une que les maudits hommes d'armes n'auront pas!

– Dis-moi! rappela Garin comme le paysan s'en allait, sais-tu qui vit là?

Il désignait la plus haute fenêtre de la tour nord-est.

– ... Là?

Le paysan eut une expression embarrassée.

– Non non, bougonna-t-il en continuant son chemin. Moi, je ne m'occupe pas des affaires du château.

Garin le regarda s'éloigner d'un œil distrait. Il était intrigué, oui, intrigué. Il se rappelait parfaitement la lueur de la veille... elle avait quelque chose de diabolique. Il n'en fallait pas plus pour qu'il baptise aussitôt cette tour «la Diablesse». Ses yeux revinrent sur la fenêtre, là-haut, et il se frotta pensivement l'aile du nez.

Renseignements pris, les trompes annonçant le repas n'étaient pas encore près de résonner: les cuisinières avaient pris du retard à cause des événements. Il restait donc du temps...

Se mettre à l'inventaire des meubles et objets du château?

Bah! Pas tout de suite. Il fallait d'abord qu'il se fasse une idée, non? De nouveau, l'excitation s'empara de lui; il pouvait pénétrer dans toutes les pièces, se mêler de ce qui ne le regardait pas. Le rêve...

«Commençons par le haut», se dit-il sans chercher à découvrir ce qui motivait son choix.

En se rendant le matin même chez la dame de Montmuran, dans la tour sud du châtelet d'entrée, il avait remarqué une porte, qui donnait sur les courtines*. Pourquoi ne pas monter par là?

Il faisait frais, là-haut. Un vent glacé balayait le ciel de tout nuage. Bleu et froid. Ce n'était peut-être pas le bon moment pour faire connaissance avec le chemin de ronde, mais le spectacle était extraordinaire: du plus haut de ce château, on voyait loin, si loin... là d'où il venait.

Un sergent de garde sortit de la tour et, surpris de le trouver là, lui jeta un regard suspicieux. Il ne dit pourtant rien. Il s'avança sur le chemin de ronde, observa l'horizon un long moment puis se pencha au-dessus des créneaux.

Qu'y avait-il donc à voir? Garin se pencha aussi. Bouh! Il n'était pas fait pour les hauteurs. La tête lui tournait aussitôt qu'il regardait en bas.

– Ça va! cria enfin le garde.

Ce signal semblait s'adresser à deux charrettes pleines de

---

* Courtine: mur d'enceinte du château, joignant les tours entre elles. Sur le haut de la courtine courait le chemin de ronde.

bûches qui attendaient devant les douves le bon vouloir des hommes en armes.

Le garde entra de nouveau dans la tour, et on entendit son pas lourd descendre l'escalier de pierre. Enfin, le bruit du pont-levis. « Plong! »

Garin jeta un coup d'œil. Six gardes, lance pointée, surveillaient les alentours, devant la bouche béante du château. Il était facile de deviner que deux autres se tenaient prêts à relever le pont de bois à la moindre alerte.

S'agrippant fermement aux pierres des créneaux, Garin suivit des yeux les charrettes qui entraient. Rien ne se passa. On releva aussitôt le pont derrière elles. Il se retourna pour les suivre des yeux dans la cour. Et si des ennemis se cachaient sous les bûches, prêts à bondir, l'épée à la main?

Une servante traversa la cour, portant sur la tête un gros ballot de laine. Elle se dirigeait vers l'atelier de tissage.

Une à une, les bûches quittèrent la charrette. On se les lançait à la chaîne, jusqu'à ce qu'elles parviennent au pied de la courtine est, où on les entassait à l'abri d'un toit de bois... Pas d'ennemi caché. Garin en fut presque déçu. En tout cas, il pouvait redescendre sans danger.

A la hauteur du deuxième étage s'ouvraient deux portes. Il entrebâilla indiscrètement celle de gauche. Une chambre. Celle de droite ? Sa main hésita un peu plus longtemps, mais quoi, il avait son inventaire à faire, non ?

Des risques pour si peu... Bah ! c'était seulement un couloir. Où pouvait-il bien mener ? Quelques pas dans l'obscurité, jusqu'à la lumière, là-bas...

– Qui va là ?

Un sergent, menaçant, lui barrait le passage.

– Eh ! doucement ! Je suis le scribe officiel du château.

Le sergent arrêta sur lui des yeux inquisiteurs.

– Tiens... dit-il enfin, on a renoncé aux services de l'autre ?

De l'autre ? Quel autre ? Cette nouvelle alarma un peu Garin : un écrivain en place pouvait fort justement lui attirer des ennuis. Il voulut demander des précisions, mais le sergent ne lui en laissa pas le temps :

– Tu n'as rien à faire ici.

– Je regrette, je dois tout voir. Ordre de dame Jeanne

– Il n'y a rien à voir ici.

Le sergent n'avait pas entièrement tort, cette pièce n'était pas meublée : c'était tout simplement la salle de manœuvre, avec son gros treuil à relever la herse.

Garin sentit une lance se pointer sur le haut de sa poitrine, et fut plaqué contre le mur.

– Attends là ! lui ordonna-t-on.

Pendant qu'un sergent le menaçait bêtement du bout de sa

lance, un deuxième souleva une trappe, sur le sol. Cela dégagea un trou qui donnait sur le niveau inférieur, et par lequel l'homme cria :

– Est-ce qu'il y a un nouveau scribe au château ? Je tiens ici un marmouset qui prétend l'être.

Un marmouset ! Mais il avait facilement quatorze ans, peut-être plus. Ces vieux sergents, ça a reçu trop de coups sur la tête, ça ne voit plus clair !

Un moment passa. En bas, sans doute, on s'informait. Allons bon ! Et si personne ne le croyait ? ...Mais non, quel idiot ! Mathéa au moins était au courant.

Curieux... Il sentait comme un filet d'air frais lui chatouiller l'oreille. Il tourna la tête avec prudence. L'air arrivait par des rainures qui perçaient la pierre. De l'autre côté du mur, on apercevait un autel... la chapelle.

« Eh bien... voilà un château bien pieux, où même les hommes de garde ne peuvent échapper à l'obligation de la messe. Euh... où, même les hommes de garde ont la chance de pouvoir assister à la messe. »

Il fut récompensé de cette bonne pensée : la lance s'abaissa. La réponse avait dû être positive. Ffff !

– Voilà ! s'exclama Garin d'un ton gouailleur. Il suffit de s'expliquer. Heureusement que vous avez à disposition un bon trou, bien efficace, pour ne pas périr d'ignorance dans votre prison. Les pierres qui sont là... entassées près du trou, c'est pour taper sur ceux d'en bas quand ils ne répondent pas assez vite ?

– Non ! aboya le sergent, c'est pour assommer les punaises de ton espèce avant qu'elles ne s'introduisent dans le château.

Garin se mit à rire. Après tout, il était prudent de ne se fâcher avec personne : l'expérience lui avait enseigné que cela n'apporte finalement que des désagréments.

– Je peux voir ?

Sans attendre la réponse, il se pencha au bord du trou : celui-ci donnait précisément sur le petit espace laissé entre le pont-levis et la herse. Si on gardait la herse baissée, et qu'on relevait le pont derrière l'ennemi pour le piéger, cela faisait un bel assommoir.

– Ça suffit, maintenant, grogna le sergent. Va-t'en.

– On peut sortir par là ? demanda Garin d'un air candide digne d'un marmouset.

Il désignait le côté opposé à celui par lequel il était venu.

– Si tu veux, file !

Là, il était dans l'autre tour. Monter, descendre, monter. Ce château lui paraissait confus. On ne savait jamais par où accéder où. Enfin il se retrouva sur la courtine ouest, entre le châtelet d'entrée et les deux tours accolées.

Bouh ! la couleur de l'eau croupissant dans les douves n'incitait guère à la baignade. Quelle stupidité de regarder en bas... et il ne pouvait s'en empêcher ! En suivant la courtine, on arrivait dans la petite tour. On pouvait la traverser, et aussi le haut du donjon, et alors on parvenait sur la courtine nord. De là, on voyait parfaitement, mais alors parfaitement, la Diablesse et son intrigante fenêtre.

Non, pas maintenant. Il ne le ferait pas maintenant! C'était décidé: il n'en savait pas encore assez sur ce château pour se permettre de prendre des risques.

Il s'immobilisa. Une voix étouffée chantait. Une phrase qui se répétait tout le temps. Pas du français, non... cette langue, là, qui ressemblait à du breton. Le prisonnier chantait. Cela disait quelque chose comme: «Je vais au val d'Avallon soigner ma blessure.» Un signal! C'était peut-être un signal!

Mais non, Garin, un prisonnier qui chante, ce n'est peut-être qu'un prisonnier qui chante!

Le garçon se pencha. La voix semblait venir de quelque part entre les deux tours. Oui, c'est bien là que se tenait la geôle. «Je vais au val d'Avallon soigner ma blessure»...

Richard... Richard Cœur de Lion! C'est cela qui lui faisait penser à un signal! On racontait que Blondel, le trouvère du roi Richard, avait retrouvé son maître grâce à une chanson. Il avait parcouru tout le pays d'Autriche, chantant sous chaque donjon: «Qui sage homme sera, ja* trop ne parlera», jusqu'à ce qu'un jour son maître réponde, par la deuxième phrase... cette phrase, Garin ne se la rappelait pas. Mais le problème n'était pas là: le prisonnier envoyait-il un message? A qui?

Garin tendit l'oreille, mais la voix s'était tue.

Voilà qui l'avait distrait de ses pensées précédentes. La fenêtre de la tour... il ne se rappelait pas le raisonnement qui l'avait conduit à renoncer... Son cœur se mit à battre. Il prit sa respiration. Il allait faire une sottise.

---

* Ja = jamais. Le vers suivant est: «Qui ja mot ne dira, grand bruit ne fera».

5

LA PORTE. IL N'Y EN AVAIT QU'UNE SEULE, DONNANT SUR LES COURTINES. FRAPPER? NON, NON. REBROUSSER CHEMIN Tout de suite.

Le battant de bois s'entrouvrit. Garin recula.

– Quand on a décidé une visite, dit une voix à l'intérieur, il faut s'y tenir.

Comment l'occupant de ces lieux avait-il pu l'entendre?

– J'allais frapper, répondit Garin un peu trop fort.

... Le moine Ébert, de Bégard, lui disait toujours que lorsqu'on parle trop fort, c'est qu'on se sent en état d'infériorité, et donc souvent qu'on est en faute. Ce n'était peut-être pas dénué de vérité... Et puis tant pis! Une fois que la première sottise était faite, il fallait aller jusqu'au bout.

Ainsi... c'est toi qui n'es ni breton ni français?

Garin ouvrit des yeux ronds : cet homme-là savait-il donc tout d'avance?

– Je suis arrivé hier.

– Hum... comme les Anglais, comme le prisonnier qui chante dans la langue du pays de Galles...

Ses yeux s'habituant peu à peu à l'obscurité, Garin distingua une maigre silhouette, mangée par une barbe et des cheveux blanchâtres qui lui tombaient jusqu'à la taille. Les yeux étaient si clairs que, à cause sans doute de la lumière du dehors, ils paraissaient presque blancs, blancs et froids sous de gros sourcils inquiétants.

Garin eut un sursaut. Aux pieds de l'homme, sur le tapis élimé, se tenait cet étrange animal qu'on appelait un chat, une race étonnante que les croisés avaient ramenée de Terre sainte. Garin avait souvent entendu dire qu'il s'agissait là d'une créature du diable, mais ce n'était peut-être pas vrai. Il recula un peu.

– Ce chat, dit le vieillard comme s'il avait deviné ses pensées, m'a été donné par un comte, en échange de mes services... Ce sont mes services qui t'intéressent ?

Garin ne voyait pas du tout quel genre de service pouvait rendre cet homme. Il dit :

– Euh... On m'a demandé de faire l'inventaire du château... mais il se peut que votre chambre ne soit pas concernée...

L'homme le fixait avec un regard terriblement intimidant. Il fallait partir.

– Quel est ton nom ?

– Garin... Garin Troussebœuf.

C'était invraisemblable de révéler son vrai nom, comme ça, surtout à ce genre de personnage ! Donner son nom, c'est donner prise sur soi. Et de plus il s'entendit poursuivre :

– C'est le nom d'un de mes ancêtres, un trouvère de grande renommée... mais moi, je ne l'ai jamais connu, c'est bien trop vieux.

Sa phrase finit dans un murmure. Il ne comprenait pas comment il se trouvait maintenant dans la pièce, avec la porte refermée. Un peu de lumière venait par la fameuse fenêtre et, devant cette fenêtre, un drôle d'appareil. Un petit canon ? Il était pointé vers l'horizon.

– Vous êtes bien défendu, dit-il pour se donner une contenance.

– Défendu ? Ce n'est qu'un tube de fer, qui me sert à observer les étoiles.

Le vieux parlait d'une voix uniforme sans intonation.

– Il est temps que je m'en aille, murmura Garin.

– Tu as peur ?

– Peur de quoi ?

C'était vrai, ça, peur de quoi ?

– On t'a dit que je m'adonne à la sorcellerie ?

– Non, non ! protesta Garin.

Juste. On ne lui avait rien dit de semblable – sinon serait-il venu ? Mais tout de même, comment le vieux avait-il réussi à lui soutirer son nom, et en plus l'histoire de son ancêtre ?

– C'est normal que tu aies peur, reprit le vieillard sans élever la voix, tout le monde a peur de moi. Tout le monde a peur de ceux qui disent la vérité.

– Moi, je ne crains pas la vérité !

Fanfaronnade ! Garin ne savait même pas ce qu'il voulait dire par là. Il fallait toujours qu'il essaye de se démarquer des autres. Quand on est le dix-neuvième d'une famille, on... Oui.

Le vieux sorcier continuait d'un ton monocorde :

– Lorsque je dis que le monde va à sa perte, que les planètes nous annoncent des années noires, on se bouche les oreilles... Vois, je les avais prédites, la guerre, la pestilence, la famine...

– Peut-être, proposa Garin, que les gens n'ont pas envie de savoir les malheurs qui les attendent.

Le vieux jeta sur lui un regard inquisiteur.

– Moi, continua le garçon, je ne me sens bien que lorsque j'ai l'espoir que de bonnes choses vont m'arriver. Si on m'annonce un malheur, ça me gâche la vie. Ce n'est pas la peine de me la gâcher avant que ces malheurs n'arrivent. A ce moment-là, il sera bien temps de souffrir, non ?

Le vieux ne répondit pas. Il examina Garin avec attention avant de reprendre :

– Ainsi, tu es un scribe itinérant. Tu cours les chemins, portant ton écritoire accrochée à ton épaule droite, et tu es de nature imprévoyante.

– Comment savez-vous cela ?

– Hum... tu as des taches d'encre sur l'index et le majeur de la main droite, avec un petit creux à cause de la plume. Tes souliers sont solides, comme les souliers de ceux qui marchent beaucoup. Tu as tendance à porter l'épaule droite plus basse, et ton surcot est usé dans le dos, à l'endroit où frotte ton écritoire. De plus, tu es imprévoyant, car tu a été capturé de nuit, ce qui veut dire que tu dormais dehors à deux pas d'un château. Si tu étais arrivé avant le coucher du soleil, on t'aurait ouvert.

– C'est vrai, souffla Garin, je suis très imprévoyant.

– Sais-tu au moins quelles sont les planètes qui te sont bénéfiques, celles qui te sont néfastes ?

– Ma foi, dit Garin, le soleil m'est bénéfique et la pluie m'est néfaste. C'est donc la planète qui gouverne la pluie qui ne me vaut rien.

Le vieux n'eut pas l'air satisfait du tout par cette réponse, et son regard fit à Garin une fâcheuse impression. Il regretta aussitôt son habileté à émettre des âneries.

– Il y a, reprit sourdement le vieil homme, des maîtres mots pour asservir les forces naturelles. Le soleil et la pluie dépendent de ceux-là.

– Dites-les-moi, ils me serviraient bien.

– Je ne puis te les dire. C'est à chacun de regarder au fond de soi et d'y trouver la richesse.

Garin eut un mouvement des yeux, mais il ne vit que sa chemise bise flottant sur son ventre trop creux. Bien sûr, ce n'était pas avec les yeux qu'il fallait regarder au-dedans de soi.

– Comment y arrive-t-on ?

– Le temps est un des maîtres mots. La patience. La modestie. La sagesse.

Garin se prit à craindre que, hélas, tout cela ne soit pas pour lui. Il préférait encore les conseils du chantre : « Ouvre tes oreilles, c'est elles qui t'apprendront. » A ce moment, ses yeux tombèrent sur un beau pupitre incliné, à deux pans, dont chacun portait un énorme volume ouvert.

Lui... c'était lui...

– Vous... vous savez écrire ? demanda-t-il en ravalant sa salive.

L'homme haussa simplement les sourcils. Catastrophe! La fin de son travail ici! Il était venu se jeter dans la gueule du loup. Le sergent avait raison: il y avait bien déjà un scribe au château, et ce scribe était en droit de le jeter dehors.

– Je vois ce que tu crains, dit l'homme, mais rassure-toi, on ne me confie plus aucun travail d'écriture.

– Ah! souffla Garin avec soulagement. Pourquoi?

Le vieux haussa encore les sourcils, puis il dit avec lenteur:

– L'ultime missive que j'ai écrite, c'est pour le seigneur de ce château... pas le dernier, bien sûr, son grand-père. L'homme à qui elle était destinée fut assassiné par le porteur du message. Je l'avais vu dans les astres, et j'avais écrit au bas du parchemin: «Gardez-vous du porteur»... mais le destinataire était mort avant d'en arriver à cette ligne. Vois: je me contentais de prévenir. Tout le monde a pensé qu'au contraire ce sont ces mots qui contenaient un sortilège. Depuis, je n'ai plus écrit de missive. A peine me confiait-on quelques comptes du château et, depuis quelque temps, on ne me donne même plus rien.

– Vous... vous saviez... Vous lisez dans l'avenir?

– L'avenir est comme le passé, il est déjà écrit.

Garin ne répondit pas. L'avenir, il y pensait rarement. C'était déjà assez de savoir ce qu'on allait faire le lendemain, et même ça, il l'ignorait la plupart du temps, sans que cela provoque chez lui la moindre angoisse.

– Je m'arrangerais bien pour qu'il m'obéisse un peu, l'avenir, déclara-t-il.

– Tu le peux!

Enfin! Garin fut bien heureux de cette information:

– J'ai toujours pensé que c'était à moi seul, et non au ciel, de m'occuper de ma vie.

Le vieillard ne prêta pas attention à ses paroles, et la fin de la phrase déconcerta Garin:

– Tu peux agir sur ton avenir, mais uniquement par sortilèges. Et tu dois prendre bien garde, car les détours de la magie sont redoutables.

Garin eut un geste de protestation. Il ne voulait surtout pas se mêler de magie... sauf peut-être pour faire lever le vent qui envoie les nuages au diable, au moment où vous êtes tellement trempé que vous avez l'impression que vos os vont fondre.

– Je préfère prendre la vie comme elle vient, décréta-t-il d'un ton définitif.

Il regarda autour de lui, cherchant des mots pour s'échapper enfin de cette ambiance étouffante. Dans la pièce, il n'y avait qu'une couche de paille, sans courtepointe ni oreiller, le grand pupitre et le tube de fer, et aussi des tas de parchemins pliés et prêts à être reliés... sûrement du veau, qui peut être utilisé sur les deux faces.

La seule issue était cette porte sur les courtines. Comment pouvait-on vivre toute une existence ici?

– Le monde va à sa perte et l'homme vers sa mort, dit alors le vieux.

Oui, évidemment. Était-il nécessaire d'y penser tout le temps ? Garin regarda dehors. Il faisait soleil, il ne voulait rien savoir d'autre.

– Vous ne sortez jamais ? demanda-t-il.

– L'homme vit en lui-même.

– En moi, c'est trop étroit... Vous ne voyez personne ?

– Un serviteur, qui vient m'apporter mon repas, et puis le maître du château, forcément.

– Forcément ?

– Je suis, depuis plus de cinquante ans, le chancelier de ce château. C'est moi qui détiens le sceau du seigneur. Depuis cinquante ans, personne ne peut donc sceller un document sans venir me rendre visite. Le maître provisoire, le seigneur Alain, a également déposé son sceau ici.

– Vous voyez, tout le monde n'a pas peur de vous !

– Si, prononça lentement le vieil homme. Ils ont peur. Mais ils auraient encore plus peur de ne pas venir. Sait-on alors ce qui pourrait arriver ?

Ce vieux avait toujours le mot qui faisait froid dans le dos. Garin comprenait que, sortilèges ou pas, on évite de le fréquenter.

– Et puis, ajouta le chancelier, ils veulent savoir l'avenir, l'avenir que leur promettent les astres.

– Ils ont peut-être tort, dit Garin en se dirigeant vers la porte, avant qu'on ne lui brandisse toutes les misères qui l'attendaient au détour du chemin. Je reviendrai vous voir, sans doute.

Le vieil homme le regarda fixement : il savait qu'il mentait. Au moment où Garin ouvrait la porte, il entendit :

– Ton avenir, je ne te le dirai pas. Mais chacun possède en soi une formule magique qui peut influer sur son destin. Cherche-la.

Garin referma derrière lui. Il se sentait mal à l'aise. Décidément, l'art des mots qui vous perturbent ! Il avait horreur de ça. Il possédait une formule magique, lui ? ... Peut-être « par le poil du grand Satan »... Ahi ! non ! Ça, c'était dangereux. Il jeta un regard inquiet autour de lui, et c'est là qu'il aperçut le jeune Réginart, assis dans le coin du donjon, en train de s'empiffrer de gaufres et de massepains, qu'il tenta de cacher derrière son dos en voyant Garin approcher.

– Vous avez dérobé tout ça aux cuisines ?

– Mmmm... fit Réginart la bouche pleine. Vous ne direz rien, hein ?

– Vos affaires sont vos affaires, remarqua Garin, mais je mangerais bien aussi une gaufre ou deux.

– Allez-y, acquiesça Réginart. Finalement, je crois que je n'en viendrai pas à bout. Le plaisir, c'est juste de guetter le moment où, en même temps, l'échanson sort, la cuisinière jette ses légumes dans l'eau, la servante pose l'oie sur la table, le boulanger enfourne le pain... ce n'est pas si facile.

– Je veux bien vous croire, dit Garin, quand je voulais subtiliser un morceau de pain, chez mes parents, c'était pareil. Elles sont bonnes, ces gaufres !

– Je préfère les gâteaux aux amandes, mais je n'ai pas réussi

à les atteindre sur l'étagère. Pourtant ils étaient tout frais...
Vous êtes allé chez le vieux Simon, le chancelier de ce château?

– Euh... oui.

– Il ne vous a pas fait des signes bizarres, comme ça, avec les doigts, pour vous jeter des sorts?

– Euh... non.

– Eh bien moi, je n'irai pas, c'est sûr.

Garin se dit que, finalement, l'enfant n'avait peut-être pas tort. Et lui, il le sentait bien maintenant, il était très content d'en être ressorti.

– Où logez-vous? demanda le garçon en s'essuyant les mains sur son pourpoint.

– Je ne sais pas: la nuit dernière dans le cul-de-basse-fosse. J'espère mieux pour cette nuit.

– On vous mettra sans doute avec les serviteurs, à côté des remises, ou avec les sergents, dans la tour est.

– Qu'est-ce qui est le mieux?

– Rien. Dans la remise, il y a trop de monde et ça pue; dans la tour est, c'est froid et humide.

– Ah non! Pas de froid ni d'humidité! protesta Garin. Mes mains, vous voyez, c'est mon outil de travail. Il faut que je les traite bien, qu'elles soient à bonne chaleur, sinon elles ne veulent plus écrire.

– C'est ennuyeux, dit sérieusement l'enfant.

– Au-dessous de votre appartement, il y a une chambre qui me conviendrait bien je crois. Le château n'est pas surpeuplé, je pourrais...

– C'est une chambre où il n'y a personne. Vous serez tout seul dans votre lit. Vous auriez peur, peut-être ?

– Je n'aurais pas peur, assura Garin.

– Alors, nous allons demander à mon père, le seigneur Alain.

Garin sourit intérieurement de la gravité de l'enfant, contrastant tellement avec sa conduite de l'instant d'avant.

– Vous êtes quelqu'un qui aime la précision, remarqua-t-il. Vous dites : « Simon, le chancelier de ce château », « mon père, le seigneur Alain »...

– Ma mère, dame Agnès, m'enseigne toujours qu'il faut être précis dans ses paroles. Cela évite les méprises, les fourvoiements, les égarements et les impairs.

– Je vois, dit Garin en souriant. Sans doute votre mère a-t-elle raison.

– Vous ne lui direz pas, n'est-ce pas, que j'ai détourné des gaufres.

– Disons... volé.

– Non, si nous voulons être précis, disons... approprié par anticipation... parce qu'on aurait bien fini par m'en donner, non ?

– Sans doute ! dit Garin.

Et comme il se levait, il surprit de nouveau les mots étranges de la chanson qui montait de la geôle : « Je vais au val d'Avallon soigner ma blessure. »

6

DANS LA GRANDE SALLE DU CHÂTEAU, ON AVAIT RAL-LUMÉ LE FEU POUR CHAS-SER L'HUMIDITÉ. GARIN, DISCRÈTEMENT ASSIS sur le socle de la cheminée, s'appliquait à faire semblant d'être concentré sur son travail.

– Moi, dit le capitaine de la garnison, je me méfie. A moitié noyé, soit. Perdu la mémoire, soit. Mais cet homme-là ne m'inspire aucune confiance.

– Nous ne pouvons rien, fit remarquer le seigneur Alain.

– Et si c'était un espion ? Qui serait responsable de ce qui pourrait s'ensuivre ?

Le seigneur prit un air ennuyé.

– Que voudriez-vous faire ? demanda-t-il.

Le capitaine Briselance commença un gens-d'armesque « cent-pas », écrasant les iris tout frais qui jonchaient le sol

– Moi, martela-t-il enfin, je dis qu'un prisonnier mort est le seul prisonnier qui ne vous donne jamais de soucis.

Vous rendez-vous compte?... Nous ne pouvons... Et messire Bertrand? Dame Jeanne a grande confiance en lui, et ses ordres sont...

– Je vous comprends, interrompit le capitaine, mais si un malheur advenait... Sa chanson, avez-vous entendu? Il se pourrait bien qu'il fasse passer un message par cette chanson.

– Je ne crois pas, intervint Mathéa en levant les yeux de sa broderie. Ou alors, il s'agirait d'un message très court

·· Un morceau chaque jour suffit.

- Peut-être... Mais il chante toujours la même chose

– Vous savez ce qu'il chante?

– C'est un lai* ancien, qui nous vient du roi Arthur : « Je vais u val d'Avallon soigner ma blessure.

– Et c'est tout?

- C'est tout.

Le seigneur Alain se leva, et marcha vers Garin, qui recopiait son premier jour d'inventaire – la salle basse – sur un parchemin.

– Vous, le scribe, vous avez beaucoup voyagé. Comprenez-vous ce qu'il dit?

Garin hésita. Fallait-il répondre oui ou non? Au fond, dire oui mettrait en valeur ses compétences, et ça pouvait toujours servir.

– Je comprends, dit-il. Le prisonnier chante exactement les paroles que la noble damoiselle a rapportées.

A la lueur des torches, il surprit le regard étonné de Mathéa,

---

* Lai : poème court, parfois chanté.

et son expression le flatta. Il avait bien choisi sa réponse. Elle leva de nouveau les yeux sur lui un bref instant, et cette fois son expression avait changé, sans que Garin puisse lui attribuer un qualificatif.

Rêveur? Curieux? Inquiet?... Non, rien vraiment de tout ça.

– Cela ne change rien! grogna le capitaine. Une seule phrase peut être un signal, selon l'intonation, ou le nombre de fois qu'on la prononce.

Personne ne fit de commentaire. Dans cette salle seigneuriale du donjon, où ils étaient tous réunis (pour la bonne raison que c'était la seule pièce chauffée et éclairée à cette heure de la soirée), Garin remarqua pour la première fois un tableau surprenant, un portrait représentant le visage d'un homme, sans doute un des anciens seigneurs du château, qui semblait surveiller tout le monde.

– Un prisonnier mort... répéta le capitaine en frappant de son poing dans sa main.

– Nous pourrions, intervint doucement dame Agnès, lui interdire de chanter, sous peine d'être exécuté. Cela le dissuadera.

Le capitaine de la garnison ne répondit pas. On pouvait lire sur son visage l'embarras, et une certaine inquiétude. Il était responsable de la sécurité de ce château, et si la sécurité passait par l'élimination d'un vague Anglais, il n'y avait pas à hésiter!

Personne ne revint sur le sujet, mais l'atmosphère était devenue pesante.

Garin se remit à ses écritures, Mathéa et dame Agnès à leur broderie, Réginart jouait aux osselets, entre deux lévriers qui observaient avec attention les mouvements des petits os, et ne pouvaient s'empêcher de les attraper de temps en temps, provoquant les cris amusés du garçon.

Assis à l'angle de la cheminée, Bredan, l'écuyer, demeurait pensif. Au bout d'un long moment, il se décida finalement à proposer :

– Mathéa pourrait rendre visite au prisonnier, puisqu'elle sait se faire comprendre de lui, et lui enjoindre de ne plus chanter.

Un court silence. Puis le seigneur Alain décréta :

– Nous verrons ça demain.

On aurait dit que son ton contenait de l'agressivité contre le nommé Bredan. Contre son propre écuyer ?

Curieusement, les deux hommes se ressemblaient assez : grands, forts. L'un était barbu, l'autre non, mais il n'allait pas tarder à le devenir ; déjà, son vœu de ne pas se raser avant d'avoir découvert l'identité du prisonnier noircissait son menton... Eh ! si le prisonnier mourait, Alain resterait barbu jusqu'à la fin de ses jours !

Le regard de Garin revint subitement sur l'écuyer Bredan. Sa barbe, à lui, était-ce aussi un vœu ? Un vœu qu'il n'aurait jamais réussi à accomplir ?

Garin se réveilla de bonne heure, sans savoir ce qui avait pu le tirer du sommeil si brusquement. Un moment, il fut content de se trouver là, tout seul dans le grand lit de la chambre que Réginart lui avait obtenue sans peine – le seigneur Alain n'était pas si sévère.

Il se sentit bien. Près de son lit, ses vêtements pendaient à la tringle fichée dans le mur. Il n'avait pas encore fait l'inventaire de cette chambre, qui ne contenait que deux grands coffres de bois, un lit, un escabeau, un pouf et de menus objets, mais il en aurait largement le temps : au moins deux semaines avant que la dame de Montmuran ne revienne.

Mais... on frappait à la porte ?

– Garin !

La porte s'ouvrit aussitôt et Réginart passa sa tête par l'entrebâillement.

– Qu'est-ce qu'il y a ? s'étonna Garin.

– Ce matin, mon père, le seigneur Alain, envoie ma sœur Mathéa parler au prisonnier qui se trouve dans le cachot du donjon. Vous voulez bien venir avec moi ?

– Pour quoi faire ?

– Pour savoir ce qu'ils disent.

– C'est indiscret, fit remarquer Garin en rabattant sa couette et en sautant de son lit sans hésitation aucune.

Rapidement, sur la peau de loup qui lui tenait les pieds au chaud, il enfila ses chausses à semelles (qui le dispensaient de mettre des souliers), sa chemise, son gros pourpoint rembourré et sa cotte de toile marron, celle qui ne craignait pas la saleté.

– Moi, commenta Réginart, je ne comprends pas la langue du prisonnier, et j'aime bien être au courant de tout. C'est le rôle d'un futur seigneur, ce que je suis par la force des choses.

Garin ne put s'empêcher de rire : l'enfant était encore plus doué que lui pour inventer des excuses à sa curiosité.

– Je préfère que nous n'y allions pas ensemble, reprit Réginart sur un ton de conspirateur. Je vous donne rendez-vous dans la petite tour, à l'étage de la salle des gardes.

La porte se referma. Garin se saisit de son écritoire – alibi prudent – et d'un geste tellement familier qu'il en était devenu inconscient, il le balança dans son dos.

Il sortit. Avoir l'air détendu. Contrôler son excitation.

Le brouillard avait pris possession de la cour, où régnait déjà une vive animation, les coqs s'étant depuis longtemps chargés du réveil des serviteurs.

Garin s'arrêta pour laisser passer un gros tonneau de vin qu'on roulait vers les cuisines, et se dirigea en essayant de se faire tout petit vers le donjon. Il n'avait encore rien prévu pour la salle des gardes : comment la traverser sans encombre ? Serait-elle déserte ? Hélas, non.

Comme toujours, il se fia à sa langue, qui se mettait si facilement en mouvement et, entrant dans la salle, il lança :

– Inquiétant, non, ce brouillard ? C'est un vrai piège. Si l'ennemi attaque ce matin, je ne donne pas cher de notre peau.

Il fut content du « notre » peau (cela l'associait, lui, à la grande fraternité du château : il n'y avait donc pas à se méfier de lui).

– On ne voit guère plus loin que les douves, grommela un des gardes. C'est à peine si on distingue les lices. Moi, je n'aime pas cela.

– Le seigneur Alain est-il arrivé ? demanda Garin.

. Ce qui laissait supposer, sans qu'il soit besoin de mentir, qu'il montait à la salle seigneuriale.

– Oui, il est là depuis l'aube. En voilà un qui ne dort pas beaucoup.

Garin se dirigea vers l'escalier, en rappelant négligemment

– C'est un jour à ne pas quitter des yeux les fourrés.

Instinctivement, les trois gardes tournèrent la tête vers l'ouverture, instant magique dont Garin tira immédiatement profit en se jetant dans le couloir qui menait à la petite tour.

Dans la pièce où il se trouvait maintenant, il n'y avait que quelques armes ébréchées et un râtelier de lances contre le mur. Dissimulé dans le coin gauche, Réginart lui fit un signe de connivence. Garin s'assit par terre et prit une plume, histoire de se donner une contenance.

Ils n'attendirent pas trop longtemps. Il y eut une discussion assez loin, sans doute à l'entrée de la salle des gardes – avec une voix de femme qui faisait toujours involontairement battre le cœur de Garin.

Des bruits de pas... pourvu que personne ne vienne jusque-là ! Non, ils s'arrêtaient bien devant le cachot. On ouvrit une porte, puis la voix de la jeune fille, claire et distincte :

Messire Alain, seigneur de ce château, vous donne ordre de cesser de chanter, faute de quoi il serait obligé de vous faire exécuter immédiatement

Réginart et Garin écoutaient de toutes leurs oreilles, mais le prisonnier ne dit pas un mot.

– Messire Alain, reprit Mathéa, vous demande de nous révéler au plus tôt votre nom.

Aucune réponse.

Réginart fit une grimace de dépit.

– S'il ne dit pas son nom, chuchota-t-il à Garin, il va être tué : le capitaine de la garnison l'a dit à mon père.

Garin remarqua que Réginart omettait de préciser « Briselance » et « le seigneur Alain », ce qui dénotait sans doute un grand trouble de sa part.

– Malheureusement, ajouta l'enfant en jetant un regard désolé à Garin, moi je ne parle pas breton.

Il se leva lentement et jeta un coup d'œil du côté du couloir.

– Je sors d'abord, murmura-t-il.

Et il disparut dans le passage.

Comme convenu, Garin patienta un moment, avant de se glisser à son tour par le chemin qu'avait pris l'enfant.

Réginart y était-il pour quelque chose ? La salle des gardes était déserte.

Garin se colla le dos au mur près de la geôle. Pas un bruit. Il se pencha vers la grille. Il faisait terriblement noir là-dedans.

– Eh ! souffla-t-il.

Le prisonnier leva la tête.

– Est-ce que vous comprenez ce que je dis ? demanda Garin en breton.

L'autre fit un signe de tête.

– Moi, continua Garin, je ne suis pour personne ni contre

personne, mais une vie, c'est précieux... Vous ne vous rappelez vraiment pas votre nom ?

Le prisonnier jeta à Garin un regard méfiant.

– Vous le savez, n'est-ce pas ?

Le drôle d'Anglais répondit seulement par une question :

– Et vous, savez-vous garder un secret ? Pourriez-vous écrire une missive sans en parler à personne ?

– C'est mon métier, dit Garin en tentant de dissimuler son intérêt grandissant. Toutefois... si cela touche à la sécurité du château...

– C'est simplement pour informer le duc de Lancastre que je suis retenu ici.

– Le duc de Lancastre s'inquiéterait de vous ? demanda Garin ébahi.

Le prisonnier détourna la tête et dit :

– Il est mon père.

– ... Votre père ? Votre père... c'est merveilleux... Dites-le, messire, dites-le au seigneur Alain ! Il y va de votre vie, je le sais.

– Je me moque du seigneur Alain.

– Alors, c'est moi qui le dirai. La vie, on n'en a qu'une, il ne faut pas s'en séparer comme ça.

Le prisonnier n'eut pas un geste, ni d'acceptation ni de refus. S'il ne savait qu'en penser, Garin penserait pour lui.

Garin quitta la geôle en courant, et monta vers la salle haute où il savait trouver le sire Alain.

Le seigneur n'était pas seul. Le capitaine de la garnison et l'écuyer Bredan discutaient près de la fenêtre.

– Messire Alain! s'écria Garin en entrant, je sais qui est le prisonnier.

Tous les regards se tournèrent vers lui, et l'importance de la nouvelle fit oublier le manque de savoir-vivre du messager.

– Il est le fils du duc de Lancastre! continua Garin d'un ton triomphant.

Il regretta aussitôt de n'avoir pas su faire durer un peu plus longtemps le plaisir d'être devenu le centre d'intérêt de tous.

– Diantre! s'exclama le seigneur Alain. Diantre!

Il fit quelques pas de long en large devant l'immense tapisserie, représentant une belle dame avec une biche, et un chasseur qui débouchait du bois sur un cheval blanc.

– Diantre! répéta-t-il.

Puis, se tournant vers les deux hommes, il tonna :

– Il est fort heureux que je n'aie pas suivi votre avis, et que j'aie laissé la vie à l'Anglais! Diantre, diantre... Me voilà grassement récompensé. Jamais je n'aurais cru à une telle aubaine. Le fils du duc de Lancastre! Cela doit bien nous valoir...

Comme il s'arrêtait pour supputer un chiffre, le capitaine de la garnison proposa :

– Vingt mille livres...

– Peut-être plus! Un homme de ce rang... Lancastre est parent et conseiller du roi Édouard III lui-même... Et mieux, on pourrait peut-être l'échanger contre Charles de Blois, qui est toujours prisonnier de ces maudits Anglais!

Le seigneur Alain se mit à rire, d'un rire à la fois heureux et soulagé. Le capitaine de la garnison donna l'impression de vouloir l'imiter, mais sans y parvenir. Sans doute y avait-il trop longtemps qu'il n'avait pas ri et il ne savait plus comment on faisait, se dit Garin. En tout cas, connaître l'identité du prisonnier ne semblait pas le réjouir vraiment Est-ce que cela mettait en péril la sécurité du château?

– Allons le voir! s'exclama le seigneur Alain d'un ton triomphant.

– EH BIEN, EH BIEN – LE SEIGNEUR ALAIN SE FROTTAIT LES MAINS – C'EST MESSIRE DU GUESCLIN QUI VA ÊTRE content de sa prise. Envoyons-lui tout de suite une missive. Toi, le scribe, tu vas nous rédiger cela.

– Peut-être, proposa le capitaine de la garnison, vaudrait-il mieux que la missive soit écrite de votre main.

– Croyez-vous ?

Le comte semblait embarrassé.

– C'est que je me suis foulé le poignet hier, et que ma main en est encore tout endolorie.

« Tiens, tiens, se dit Garin qui avait l'habitude de ce genre d'excuse, ainsi, le seigneur Alain ne savait point écrire. Pour un noble, ce n'était tout de même pas très glorieux. »

– Les foulures sont douloureuses, commenta-t-il avec un sérieux imperturbable.

– J'ai aperçu du parchemin dans ce coffre, reprit très vite le seigneur. Allez donc y voir.

Garin hocha la tête, et s'approcha du coffre qu'on lui désignait. Soulevant le couvercle d'une main, il extirpa de l'autre le parchemin, le plus vivement possible tant ce couvercle, clouté de fer, était lourd.

Pouh! Il souffla par la bouche et le nez. Qui avait pu préparer un parchemin de pareille façon? Il était si mal gratté que la pourriture s'y était mise et il puait, pire que la porcherie du monastère.

– Il faudrait le nettoyer un peu! remarqua-t-il d'un air dégoûté.

Il s'approcha de la cheminée et, retenant sa respiration, secoua le parchemin au-dessus des flammes qu'on venait de ranimer.

– Je ne vais pas pouvoir écrire là-dessus, déclara-t-il enfin en observant de nouveau la peau, il faudrait la retravailler, sinon je vais y casser toutes mes plumes.

Le seigneur eut un mouvement d'agacement.

– Eh bien... Regardez donc dans ces volumes!

Garin avait déjà repéré les quelques livres – appartenant au seigneur défunt? – qui trônaient sur une sorte de dressoir dont le bois était finement travaillé.

Il sortit avec précaution celui qui s'appelait *Le Livre des merveilles*, dont le texte avait été écrit par un nommé Marco Polo. Une valeur! Au moins cent cinquante livres tournois à l'achat.

– Donnez-le.

Garin remit l'ouvrage au seigneur Alain, qui le feuilleta de ses fortes mains, habiles sûrement à manier l'épée, à frapper de taille et d'estoc, mais nullement à manipuler de minces feuillets.

Enfin il donna un grand trait de poignard sur une page, puis l'arracha, et le bruit seul provoqua une déchirure dans le cœur de Garin. Lui qui savait combien chaque livre représentait de soins, de travail, d'amour...

– Ça va, dit le seigneur, elle a un côté vierge.

Oui, la feuille de parchemin, un velin de toute beauté, avait bien une face inutilisée. Sur l'autre face, un copiste attentif avait reproduit le précieux texte, un enlumineur méticuleux s'était, à la lueur de la chandelle, usé les yeux à peindre avec une grande précision deux voyageurs dans un décor d'arbres et de fleurs.

Garin souleva la feuille entre le pouce et l'index, comme si elle allait le brûler. Il avait honte.

Le travail était fait.

Le fils du duc de Lancastre... Garin songea au regard lointain de Calveley... parfaitement au courant, bien sûr, celui-là ! Garin en avait toujours été persuadé : Calveley savait !

En tout cas, ce prisonnier les avait bien possédés, tous. On s'était évertué à lui parler breton, alors que, naturellement, il comprenait le français*.

– Bien, conclut le seigneur Alain en considérant la missive comme s'il était expert en écriture.

---

* Français : à cette époque, les nobles d'Angleterre parlaient tous français.

Il donna trois petits coups du plat de la main sur son gambeson, un beau petit gilet rembourré, et c'est alors que Garin remarqua qu'il ne portait pas son haubert, et qu'il s'était changé : il arborait des chausses magnifiques, une jambe rouge, une jambe jaune. N'était-on plus en guerre ?

– Il serait prudent, proposa le capitaine de la garnison en roulant le parchemin, d'en faire copie.

– C'est juste ! approuva le sire Alain. Toi, le scribe, rédige donc une copie exacte de ce que tu viens d'écrire. Le vieux parchemin sera bien suffisant.

– Il est trop sale...

– Comment ? Es-tu là pour discuter les ordres ?

– Attendez, messire, intervint Bredan, je crois qu'il y a d'autres feuilles chez dame Agnès. Si vous voulez...

– Laissez, Bredan, grogna le seigneur Alain, je n'ai pas l'habitude qu'on discute mes ordres, et ce n'est pas aujourd'hui que cela va commencer.

Rage ! Garin avait réussi à éviter la peau infecte, on la lui remettait entre les mains. La mort dans l'âme, serrant les lèvres de dégoût, il frotta le vieux parchemin avec un chiffon. En plus, des lettres se dessinaient : il avait déjà été utilisé.

Oubliant un instant sa répugnance, il déchiffra la vieille écriture : « reçu ce jour six poulardes, un agneau de lait et un sac de farine, en paiement de... »

Pfff... en plus, c'était totalement sans intérêt.

D'un geste agacé, il posa le parchemin sur la pierre de la cheminée, et commença à le gratter avec une pierre ponce. Pour comble de malchance, il s'agissait d'une saleté de peau d'on ne savait quoi, du genre qui buvait l'encre et faisait baver les lettres.

Il ne gratta pas tout, mais cela devait suffire. Il prit sa plus mauvaise plume (pour ne pas risquer d'en abîmer une bonne), et commença à recopier de mémoire.

Le seigneur Alain avait demandé un peu de crin de cheval et envoyé chercher son sceau chez le vieux chancelier. Il noua les crins autour de la missive, fit couler une tache de cire rouge pour bien clore le tout, et y apposa adroitement son sceau, juste au moment où la cire commençait à se solidifier.

– Il aurait été prudent, fit observer le capitaine Briselance, de faire cette opération directement chez le chancelier. A mon avis, un sceau ne doit pas circuler, un serviteur pourrait en profiter pour entériner en votre nom n'importe quel document.

– J'ai confiance en mes gens, répliqua sèchement le seigneur Alain.

Mais il était visible que la remarque avait porté, et suscitait maintenant une réflexion.

Le capitaine en profita pour sortir, très raide, tenant entre ses mains la missive, comme s'il s'était agi d'une couvée d'œufs de faucon.

– Il faudrait se méfier de tout le monde! grogna le seigneur

Alain, sans qu'on sache s'il s'agissait d'un reproche au capitaine, ou d'une constatation après mûre réflexion.

Pour finir, il renvoya le serviteur en déclarant qu'il rapporterait lui-même le sceau au chancelier, et se tourna vers l'écuyer Bredan, qui n'avait rien dit pendant toute cette scène

– Et mon fils, l'entraînez-vous assez?

– Tous les matins, messire.

– Tous les matins, est-ce suffisant? N'avez-vous pas remarqué comme il est malingre, pour son âge?

– C'est qu'il n'est pas encore bien remis de la coqueluche qui a failli l'emporter l'hiver dernier.

– Je veux pouvoir être fier de mon fils! éclata le seigneur.

Garin se fit tout petit dans son coin, non par peur de la mauvaise humeur du seigneur, mais pour qu'on l'oublie complètement. C'est la seule manière d'apprendre les choses importantes, les meilleures, celles qui ne vous regardent pas du tout.

– Pensez qu'il a onze ans, et on croirait qu'il n'en a que six.

L'écuyer eut un geste de la main, signifiant que le seigneur exagérait un peu. Vrai, Réginart ne portait peut-être pas tout à fait ses onze ans, mais en paraissait au moins neuf ou dix.

– De plus, il ne songe qu'à faire des bêtises. Je l'ai surpris l'autre jour à découper ses vêtements en lanières. Savez-vous ce qu'il a prétendu? Qu'il voulait les attacher entre elles et s'en servir de corde pour s'entraîner à s'échapper d'une prison s'il était capturé.

– C'est que vous lui reprochez d'être incapable de se battre convenablement, et...

– Un chevalier qui ne sait pas se battre est un chevalier mort.

– ... ou captif. Je pense que c'est cela qui l'a incité...

– Suffit ! Ne cherchez plus à le défendre, faites-en un homme.

– Il aime à s'entraîner, messire, je vous l'assure. Il faut lui laisser le temps de grandir et de prendre des muscles.

– Quand j'avais son âge, j'ai combattu un garçon qui avait quatre ans de plus que moi en trois coups de lance, trois coups de hache et trois coups d'épée. Et je l'ai vaincu, entendez-vous, je l'ai vaincu !

L'écuyer prit le visage de qui a entendu mille fois le même refrain, mais il n'eut pas à répondre, car on corna l'eau*.

– S'il ne s'améliore pas, poursuivit le seigneur Alain en se levant, s'il ne devient pas digne d'être mon fils, il va me faire regretter ce que j'ai fait pour lui...

– Pour lui, messire ? interrogea l'écuyer avec un soupçon d'insolence.

Puis il ajouta rapidement, comme pour effacer la fâcheuse impression qu'aurait pu produire sa réplique :

– Ne regrettez rien, tout va s'arranger. Je propose que nous fassions annoncer un tournoi dans les environs ; ainsi, Réginart verrait des hommes se battre, et cela lui en apprendrait plus long sur l'art de l'affrontement.

La réponse ne fut qu'un vague grognement. Le seigneur Alain se dirigea vers l'escalier, sans un regard pour Garin qui s'appliquait un peu trop sur son parchemin.

---

* Corner l'eau : annoncer par un son de trompe que l'eau pour se laver les mains avant le repas est prête, ce qui revient à annoncer le repas.

Eh! Qu'avait donc fait le seigneur Alain pour Réginart? Ou que croyait-il avoir fait?... car le ton de la repartie de Bredan en disait long... Bah! Son père à lui, aussi, prétendait faire beaucoup pour ses enfants. Beaucoup de coups de fouet, surtout.

Garin bava le point final de la lettre, avec une grimace excédée. Il faudrait qu'il se lave les mains à l'eau parfumée après cette épreuve. Il jeta un coup d'œil sur le bas de la feuille, pour s'assurer que les quelques lignes non regrattées ne gênaient en rien la compréhension de son texte. Il n'avait même pas frotté cet endroit au chiffon, et pourtant, on voyait... C'était très curieux. Entre les lignes énumérant sacs de grains et toile de chanvre, d'autres lignes avaient été tracées, d'une encre beaucoup plus récente. Il en avait, sans le vouloir, effacé le début, mais ce qui en restait disait: «... geôle du château. Mission fort compromise. Je vais essayer de... » La phrase s'arrêtait là. L'écrivain avait-il été interrompu?

Étrange. Vraiment étranges ces quelques mots glissés – cachés? – entre grains et toiles. Quelqu'un avait un jour voulu faire parvenir un message qui n'était jamais parti. Bah! c'était la vie!

Garin considéra un instant l'ensemble de la feuille. Un vrai scribe ne rendait pas un travail pareil! Il soupira, et finit par gratter aussi tout le bas. Cela faisait maintenant un beau petit espace vierge... Il retrempa soudainement sa plume dans l'encre et y ajouta: «Puisse-t-on donner au copiste, pour sa peine, une belle jeune fille. » Puis il roula le parchemin, le jeta sur le coffre, et s'en fut en riant.

8

GARIN SE RENDIT DROIT AUX CUISINES. IL Y CONNAISSAIT DU MONDE, DÉJÀ : PAR EXEMPLE, GILLETTE, UNE JEUNE CUISINIÈRE qu'il avait plusieurs fois rencontrée à la fontaine. Justement elle était là, à faire rouler de précieux grains de poivre dans une boîte de bois.

– Tiens ! Messire le scribe ! lança-t-elle. Vous ne mangez donc plus à la table du seigneur ?

– Si fait, effrontée, grimaça Garin, je ne me mêlerais pas au bas peuple.

Il renifla avec délice l'oie qu'un jeune rôtisseur venait de faire glisser de sa broche pour la poser sur un lit de châtaignes, puis changeant de ton, il dit :

– J'ai fait un travail infect, mes mains puent le vieux hareng. Reste-t-il de l'eau du lave-mains ?

On entendit le « plong » du pont-levis, puis le galop d'un cheval qui s'éloignait. Un chevaucheur était donc parti, chargé de la précieuse missive pour Bertrand du Guesclin. En voilà un qui serait content!

– L'eau du lave-mains, elle est là-haut. Il ne m'en reste pas ici.

– Là-haut? Je ne peux quand même pas, devant tout le monde, m'y plonger les bras jusqu'aux coudes.

– Va! Je peux vous en refaire.

– Je veux bien aller chercher l'eau à la fontaine.

– Que nenni, c'est inutile! Vous ne savez donc pas que nous avons un puits à l'intérieur? En cas d'attaque, si nous sommes obligés de nous réfugier dans les sous-sols, nous ne mourrons au moins pas de soif.

Garin la suivit jusqu'à une sorte de niche, qui semblait percée dans la pierre. Tandis qu'elle y laissait descendre le seau, il passa la tête par l'ouverture.

– Bouh! C'est profond!

– Vous feriez mieux de ne pas y tomber, on ne vous retrouverait jamais. C'est pire que des oubliettes.

Garin ne sut pas si elle était sérieuse ou si elle plaisantait, mais il retira aussitôt sa tête de cet inquiétant trou noir.

Il porta aimablement le seau jusqu'à la cuisine, et comme Gillette versait l'eau dans le chaudron pour la faire tiédir, il remarqua, du ton de la question:

– Le seigneur Alain n'a pas l'air très aimable avec son fils.

– Pas très. Mais aussi, c'est un garnement... enfin, pas un mauvais garnement, mais s'il était mon fils, quelques claques... Tenez, pas plus tard qu'hier, il m'a volé des gaufres.

– Quelle horreur!

– Moquez-vous! Ce n'est pas vous qui les préparez!

– Le seigneur Alain, tu le connais bien ?

– Assez. Mais je ne le vois pas beaucoup et je n'ai pas très envie de mieux le connaître. La dame, par contre, est plutôt gentille. Dommage qu'elle ait toujours l'air soucieux.

– Soucieux de quoi ?

– ... Qu'est-ce que j'en sais, moi ?

Gillette jeta dans l'eau quelques feuilles de sauge et une petite branche de romarin.

– Et la damoiselle ? demanda Garin en respirant profondément pour s'empêcher de rougir.

– Quoi, la damoiselle ? Oh ! dis-moi, Garin Troussechâteau, tu as un drôle d'air... Tu ne serais pas amoureux ?

– Ridicule ! Amoureux d'une dame de cette condition ! Tu me connais mal. Il ne faut surtout jamais regarder les damoiselles, ça n'attire que des ennuis. Moi, je suis quelqu'un de réa-

liste. Je m'informe juste de la famille d'ici, par prudence, pour ne pas commettre d'impair.

– La famille du seigneur Alain, si tu veux mon avis, eh bien..

– Eh bien quoi ?

– Eh bien je n'en sais rien. Ce n'est pas une famille très unie, enfin, je parle du père... Les enfants ne l'aiment pas beaucoup. Pas très étonnant du reste, vu que..

Elle s'interrompit, avant d'ajouter :

– Mais ça n'est pas nos affaires... Voilà, tu peux plonger tes mains là-dedans... Oh! dis-moi, cette cotte de toile mériterait d'être un peu reprisée.

– J'ai dû la déchirer dans les buissons, au cours de cette fameuse nuit des Anglais.

– Et toi... qu'est-ce qui nous prouve que tu n'es pas anglais ?

– Va savoir! lança Garin en riant. Je suis né sur

un bateau venant de là-bas, ce qui coûta la vie à ma mère, pauvre femme. On lui donna les derniers sacrements et hop! son corps par-dessus bord. Sur un bateau, on ne peut pas garder les morts. Qui était-elle? Aucune idée. Qui était mon père? Mystère complet. Il n'était pas avec elle, c'est tout ce que j'en sais... Aussi, qui peut dire que je ne suis pas anglais?

– Et alors? interrogea la cuisinière en ouvrant des yeux ronds, qu'est-il arrivé?

– Alors, les marins m'ont enveloppé dans la cape de ma mère – une cape de riche velours qui indiquait qu'il s'agissait d'une personne de haut rang – et j'ai été recueilli par un seigneur.

– Comment s'appelait-il?

– Le seigneur? demanda Garin... Eh, je te dirai ça une autre fois. Il faut que je file, sinon je vais rater le repas.

Il partit au pas de course, laissant la cuisinière ébahie.

– Quelle aventure... Quelle aventure! répétait-elle d'un air rêveur.

A la table principale, face à la porte, le seigneur. A sa droite, dame Agnès, à sa gauche Mathéa. Puis l'écuyer Bredan, veillant sur Réginart, qui gratifia Garin d'une petite grimace amicale quand il entra. Les deux autres tables qu'on avait dressées formaient un angle droit avec la table principale. Les nappes étaient moins belles et on apercevait le bas des tréteaux qui soutenaient les planches*. A gauche, des serviteurs.

---

* Les tables sur lesquelles on mangeait n'étaient généralement que des planches sur tréteaux, qu'on « dressait » au moment du repas.

à droite le capitaine de la garnison avec quelques sergents. Garin se glissa de ce côté et s'assit à une place libre, tout au bout.

A part Réginart, personne n'avait remarqué son entrée, à cause du va-et-vient incessant de ceux qui servaient à table.

L'écuyer-tranchant* donna à Garin l'impression d'être très jeune et un peu inexpérimenté : ses mains tremblaient pendant qu'il découpait la première oie rôtie. Malgré cela, le seigneur Alain lui adressa un sourire bienveillant (c'était donc certainement le fils d'un de ses amis), avant de se pencher vers Réginart pour recommander d'une voix ferme :

– Mangez bien de la viande, si vous voulez grandir.

– Je mangerais mieux si les repas étaient plus gais ! rétorqua le garçon d'un ton boudeur.

Son père le foudroya du regard, tandis que sa mère esquissait un geste nerveux pour le faire taire.

– Réginart, intervint aussitôt Mathéa, vous avez aussi votre part, dans la gaieté du repas.

– Si vous avez quelque chose à proposer, renchérit avec douceur dame Agnès, faites-le. Lancer une critique de cette façon ne peut qu'indisposer sans rien résoudre. Le garçon se détendit. S'adressant à sa mère uniquement, il reprit en se saisissant de la viande qu'on venait de déposer sur son pain de tranchoir** :

– J'aimerais des entremets, des jongleurs, par exemple, des montreurs d'ours, des acrobates...

---

* L'écuyer-tranchant : celui qui découpe la viande (souvent un jeune noble).
** Pain de tranchoir : tranche de pain qui servait d'assiette.

– Il n'a pas tort, intervint Mathéa d'un ton conciliant, cela permet de digérer, et ouvre l'appétit. Un peu de distraction nous ferait du bien.

– Des joueurs de flûte, s'enthousiasma Réginart, ou de cornemuse. J'aime la cornemuse ! Et des trouvères qui savent des histoires.

Le seigneur Alain ne répondit pas. Il fit signe à l'échanson, qui se tenait très digne en bout de table, de s'approcher avec son carafon de vin.

– Versez de ce vin à ce jeune damoiseau, dit-il, il faut qu'il devienne un homme.

Garin se demanda comment il fallait prendre la phrase. Attention ? Vexation ? Sachant ce qu'il savait, il pencha pour la deuxième explication.

Quelque chose attira soudain son attention sur le visage du seigneur : bien sûr, il était rasé ! Son vœu venait de prendre fin.

– Pas trop ! protesta Réginart en arrêtant le flot qui coulait dans son hanap.

– Laissez ! gronda le seigneur Alain. Respectez ceux qui s'occupent du pain et du vin, car ce sont choses sacrées. Pensez plutôt à donner votre pain de tranchoir aux chiens. Il faut penser à eux, car ils ne peuvent parler.

Cette dernière phrase laissa Garin songeur : cet homme avait donc plusieurs visages. Il était attentif aux autres, même aux chiens. Contrairement à certaines apparences, il ne pouvait être mauvais homme.

Garin se saisit d'une belle perdrix bien dorée, et y mordit à belles dents. Pas mauvais homme. C'est alors qu'il s'aperçut curieusement que la tache d'encre qu'il gardait sur les deux dernières phalanges de son index droit prenait une forme de papillon. Sans savoir pourquoi, il songea aussitôt au prison nier; après tout, il lui avait sauvé la vie... Eh! Il avait été aussi à l'origine de la révélation de son identité, il pourrait peut-être compter sur quelques sous de la rançon!

Et voilà que soudain...

« Geôle du château », était-il écrit sur le parchemin... Se pouvait-il qu'il s'agisse de *leur* geôle. De *leur* château. De *leur* prisonnier ? L'encre pouvait-elle être assez fraîche pour...

Mais non! Comment le prisonnier aurait-il pu quitter sa geôle pour écrire cela, à l'étage au-dessus, dans la salle sei-gneuriale ? A moins que quelqu'un lui ait apporté ce vieux par-chemin, et qu'ils aient été interrompus... Bah! Des histoires pareilles existent dans l'imagination (surtout la sienne), et bien peu dans la réalité.

Tout de même, Garin s'en voulait un peu d'avoir tout regratté – trop d'ordre et de propreté finissent par nuire –, il y serait bien retourné voir...

9

« UN GRAND LIT POUR QUATRE PERSONNES, ÉCRIVIT GARIN, AVEC UNE PAILLASSE ET UNE COUETTE.

Un coffre contenant trois paires de draps et deux couvertures, une de laine, une de fourrure de.. »

Ignorant de quel animal cette fourrure pouvait bien provenir il gratta le « de » avec sa pierre ponce, et aussi le « ure » de « fourrure ». « Abrégez », avait dit la dame. Le difficile, c'était de savoir comment abréger sans nuire à la compréhension. Qu'est-ce qu'on pouvait considérer comme significatif dans un mot ?

Ses yeux se firent vagues. Par exemple, si je dis :

— Quelquefois, je me plais à croire que je suis le chevalier sans peur, que les épreuves rendront célèbre dans la postérité. Voyons... quelquef... oui, pourquoi dire « quelquefois » alors que « quelquef » est bien suffisant ? Bien. Je réduis donc le tout à · Quelquef... je me pl à cr que je suis le chev sans pe, que les ép ren cél dans la po.

– Que dites-vous? s'étonna Réginart en entrant.

– Je dis: Quelquef... je me pl à cr que je suis le chev sans pe, que les ép ren cél dans la po... Avez-vous compris:

– Eh bien... oui! Quelquefois, je me plie à croupetons, quand je suis le chevreuil, sans penser que les épines rentrent scélératement dans la peau.

– ... Euh oui... soupira Garin.

Et il récrivit le «ure» de «fourrure».

– Que faites-vous donc?

– L'inventaire.

– Je peux vous aider?

– Si vous voulez. Dites-moi ce que vous voyez dans cette pièce, à part le lit.

– Un cuvier en bois, un peu sale, qui n'a pas servi depuis longtemps.

– Les détails, commenta Garin, on s'en moque.

– Croyez-vous que la dame de Montmuran utilise parfois cette pièce?

– Je ne sais.

– Sur l'étagère, une couverture épaisse pour mettre au fond du cuvier et un drap de cuve... sinon on se met des échardes dans les fesses.

– Je vois que vous avez déjà essayé de prendre un bain sans drap, commenta Garin.

– On m'y a obligé. Ça, c'est quand j'avais étalé le drap de cuve dans le poulailler, pour que les poules soient à leur aise.

La punition n'avait pas eu l'air de marquer beaucoup Réginart, car il se mit à rire.

– Je n'ai pas ce risque ici, conclut-il, parce que je n'utilise pas le bain, seulement les étuves. Vous êtes-vous déjà étuvé?

– Parfois, dans les villes, mais pas au château; je ne puis me permettre d'utiliser les étuves du seigneur.

– Si vous venez avec moi, vous pourrez! promit le garçon.

– Nous verrons...

Garin était fort tenté, mais il savait aussi qu'on s'attire vite des ennuis... Et cela ne lui disait rien de reprendre la route maintenant, avec le vent qui s'était levé, amenant force nuages de grise mine, qui le guettaient du coin de l'œil, enrageant de le voir par la fenêtre bien à l'abri derrière ses gros murs et son toit solide.

– Dites-moi ce que vous voyez sur le dressoir, messire Réginart.

– Je vois un jeu d'échecs. Savez-vous jouer aux échecs?

– Un peu...

– Où avez-vous appris?

– C'était au temps où je vivais chez mon grand-père, le plus grand astronome de ce temps.

– Je croyais qu'on vous avait trouvé dans le creux d'un chêne?

– Mais ce chêne se trouvait sur les terres du plus grand astronome de ce temps, et cet homme sage a compris que j'étais sûrement le fils de son fils disparu.

– A cause de la ressemblance... supputa Réginart.

– Pas seulement. Son fils était parti un matin, en annonçant que jamais il ne reviendrait, mais qu'un jour le vieil homme trouverait en compensation une image de lui, qui serait lui sans être lui. Aussi, lorsque des paysans vinrent lui dire qu'ils avaient découvert un enfant dans le creux d'un chêne, par un soir de pleine lune, il sut de qui il s'agissait...

– Alors, continua Réginart avec grand sérieux, un soir d'orage il se rendit au pied du chêne et prit l'enfant entre ses mains décharnées. Il éleva son petit corps dénudé au-dessus de sa tête.

– L'orage était terrible, poursuivit Garin, les éclairs sillonnaient le ciel...

– La foudre tomba, fendant le chêne en deux.

– Alors, le vent se jeta furieusement sur la terre, faisant trembler les fondations de la vieille forteresse. Un ouragan de feu balaya le pays, jusqu'aux lointaines frontières barbares. Un éclair, jailli de nulle part, traversa la nuit, et toucha l'enfant du bout de sa flèche. Cet enfant, jamais plus, ne serait comme les autres...

– Le destin l'avait effleuré de son souffle...

Un court silence, puis Réginart remarqua :

– Elle est belle, cette histoire. Nous devrions devenir trouvères, tous les deux, ne pensez-vous pas ?

Ils furent interrompus par la cloche de la chapelle.

– Si je suis en retard à la messe, ma mère, dame Agnès, va me couper en petits morceaux.

– Est-ce vraiment dans le caractère de votre mère, de vouloir vous couper en petits morceaux ?

– Non bien sûr, dit Réginart en riant. Ma mère est une

personne très douce, beaucoup trop douce, et j'ai grand-peur de me montrer parfois indigne de sa clémence.

– Votre sœur est douce, aussi, hasarda Garin.

Impossible de s'en empêcher!

– Mathéa? Non, Mathéa n'est pas douce. Elle me gronde.

– Elle est sévère?

– Euh... Elle me gronde juste quand je l'ai bien mérité.

Réginart posa sa main sur le loquet de la porte puis, se retournant, il dit sur le ton du secret:

– Vous savez, j'ai bien de la chance de les avoir, ma mère Agnès et ma sœur Mathéa. Même si je ne sais pas le leur dire.

– Il y a des choses, murmura Garin du même ton, qu'il n'est pas nécessaire de dire. Et même parfois, quand on les dit, c'est qu'elles ne sont pas tout à fait vraies.

– Vous croyez? souffla Réginart en ouvrant des yeux étonnés.

Et il sortit sans rien ajouter, l'air pensif.

Dans la chapelle – c'était frappant – il n'y avait que des hommes. Seigneur, sergents, serviteurs, mais seulement des hommes. Garin fut un peu déçu, il comptait bien apercevoir Mathéa. Où étaient donc les femmes? N'assistaient-elles pas à l'office?

Avec le plus de discrétion possible pour ne pas attirer l'attention du chapelain qui disait la messe, Garin observa tous les coins de la chapelle... Là, sur le côté gauche... la réponse était là · on apercevait de longues fentes, dissimulées dans l'architecture du mur. Il se déplaça imperceptiblement pour mieux voir: nul doute, il y avait du monde, là derrière. Les femmes...

Pour que leur présence ne distraie pas les hommes de leur prière ?

Pour ce qui le concernait, c'était raté.

Il se demanda si Mathéa pouvait le voir, de là où elle se trouvait... Quel sot ! Est-ce qu'il s'était déjà regardé ? Comment une jolie jeune fille de dix-sept ans et de haut rang pouvait-elle le regarder, voir en lui autre chose que le scribe du château ? Ne plus y penser.

Oh ! Et puis il n'était pas interdit de rêver, même en sachant que ce qu'on rêve n'arrivera jamais !

Le capitaine de la garnison – encore plus en retard que lui – entra silencieusement, trempa sa main dans le bénitier, immédiatement à droite, et se signa.

Briselance rêvait-il parfois, lui aussi ? Lui arrivait-il d'ouvrir cette porte merveilleuse de l'imagination, derrière laquelle se dissimulaient mille vies ? On pouvait vivre mille vies. Le savait-il ?. Non, décréta arbitrairement Garin. Le capitaine de la garnison n'avait qu'une seule vie, un petit avenir étriqué qui ne pouvait pas porter le nom de destin. Garin, lui, se sentait promis à un grand destin. Sauver une damoiselle, peut-être ?

Malheureusement, celle d'ici ne paraissait pas être en danger...

« Couinnn... » On entendit la herse se lever, quelque part en dessous de la chapelle. Les pas des gardes qui couraient sur les dalles de la salle d'entrée. « Plong ! » Le pont-levis.

Au lieu de baisser la tête au moment où le prêtre présentait l'hostie, le seigneur Alain lança un regard interrogatif au capitaine. Garin, qui apparemment ne baissait pas la tête non plus, surprit les signes qu'ils échangeaient.

La porte de la chapelle ne grinça même pas. Le capitaine se glissa dehors. (A l'église Saint-Jean – du temps où il vivait chez ses parents – on ne huilait jamais les gonds de la porte, de manière à ce que le couinement dénonce ceux qui arrivaient en retard ou partaient en avance.)

A peine le prêtre avait-il eu le temps de reposer l'hostie et d'élever le calice, que le capitaine entrait de nouveau. Ce devait être grave : quand on prend le risque de quitter la messe avant la fin, on évite une deuxième occasion de faire remarquer son absence.

D'ailleurs, il fendit la foule des serviteurs sans aucun ménagement et alla murmurer quelque chose au seigneur Alain. Oui, grave, très grave sûrement, car les deux hommes sortirent aussitôt

Garin aurait bien fait pareil. Ses accords avec Dieu et saint Garin l'assuraient d'impunité s'il manquait la messe pour une

bonne raison – et la raison, c'était à lui de décider si elle était bonne ou non, éclairé en cela, bien entendu, par Dieu et saint Garin.

Dans le cas présent, la raison était certainement excellente, il suffisait de trouver la formule idoine, celle où « curiosité » n'apparaîtrait pas.

Un murmure parvint jusqu'à lui :

– Le prisonnier s'est échappé.

– Le prisonnier, il se serait échappé.

– Échappé. Le prisonnier.

« Excusez-moi, mon Dieu, je suis obligé de sortir. Si on retrouve le prisonnier... je suis le seul à pouvoir lui parler en breton. »

Garin sortit très vite. Dieu était-il au courant que le prisonnier comprenait aussi le français ?... Enfin ça, on n'en était pas sûr du tout. Non, ce n'était même probablement pas le cas.

De toute façon, Garin, lui, n'en savait rien, hein! Il n'en savait rien.

Les sergents présents à l'office hésitèrent un instant, puis emboîtèrent le pas à Garin. Les serviteurs songèrent vaguement qu'on pouvait avoir besoin d'eux, les cuisiniers furent certains qu'on leur demanderait des provisions pour courir à la recherche de l'évadé. Bref, jamais le sens du devoir ne fut plus aigu. Tout le monde sortit. Seul le chapelain resta, son ciboire à la main, contemplant avec surprise la chapelle déserte.

Alors, rapidement, il but une gorgée de vin, essuya d'un geste adroit le bord du calice, écarta les bras et dit:

– *Ite missa est**

Puis il se dirigea vers la porte en se retenant de courir vraiment, pour voir ce qui se tramait.

– Trente mille livres! fulminait le seigneur Alain. Trente mille livres envolées!

Garin nota que, curieusement, un prisonnier qu'on perdait semblait valoir plus cher qu'un prisonnier qu'on tenait... Mais tout de même... comment avait-il pu bien faire pour s'échapper?

– Dans la nuit, sûrement, décréta le capitaine de la garnison. La nuit, il n'y a personne dans la salle de garde du donjon, pour la bonne raison que ce n'est pas là qu'on peut s'attendre à une attaque

---

* *Ite missa est*: mots latins signifiant que la messe est finie: « Allez, la messe est dite. »

– Enfin... comment ? s'exclama le seigneur Alain. Comment a-t-il ouvert la porte, a-t-il quitté le donjon ? Toutes les issues sont gardées par des grilles.

– La porte d'en bas n'a pas bougé, dit le capitaine en baissant le ton, et le pire... c'est qu'on a retrouvé la porte du cachot toujours fermée, le loquet mis.

– Fermée... Comment... ? Et la fenêtre ?

– Il n'y a pas de fenêtre. Juste un petit regard pour donner du jour, très haut, très petit... non, impossible par là.

– Par où, alors ?

Un silence. Le seigneur regardait tour à tour les uns et les autres : personne n'avait rien vu, rien entendu.

– On croirait de la sorcellerie, grinça-t-il entre ses dents.

Le mot jeta un froid. Involontairement, Garin vit son esprit s'échapper vers la Diablesse. Tout le monde avait-il eu la même pensée ? Mais quel intérêt le vieux Simon aurait-il dans cette affaire ?

Non. Gardons les pieds sur terre. La geôle, Garin en avait déjà aperçu l'intérieur. Voyons... Le prisonnier ne passait pas par la fenêtre faute de fenêtre, n'ouvrait pas la porte – on ne le pouvait pas de l'intérieur sans casser le loquet – et pourtant, il disparaissait.

Et s'il avait descellé une pierre ?

S'il avait descellé une pierre, il aurait fallu qu'il descelle une drôle d'épaisseur d'autres pierres. Et puis, il se serait retrouvé dans la cour du château... pas le meilleur endroit pour s'enfuir.

Plus personne ne parlait. Le trouble se lisait sur les visages. On avait entendu parler d'autres cas de ce genre. Nul doute que le prisonnier était apparu à tous comme un personnage étrange... Se pouvait-il qu'il fût autre chose qu'un être de chair et de sang?

On avait rarement vu une telle indécision. Il avait été vaguement question de faire fouiller le château, mais personne ne voulait s'y atteler : qu'allait-on trouver? Si c'était un mauvais esprit, il ne fallait pas le débusquer, or seul un esprit diabolique pouvait quitter la geôle dans ces conditions.

– Satan, intervint alors le chapelain appelé en renfort, a coutume de prendre un visage humain pour exécuter ses desseins.

Voilà qui était rassurant. Le capitaine Briselance, le menton contracté, fixait les croisillons de la herse. Le seigneur Alain tapotait, sans en prendre conscience, du bout de ses doigts sur sa ceinture de gros cuir.

– Enfin, dit-il au prêtre, croyez-vous que dans le cas qui nous occupe...?

Le visage du chapelain prit une expression troublée.

Il répondit par un vague geste d'ignorance inquiète.

10

LE CHÂTEAU N'ÉTAIT PLUS QUE CHUCHOTEMENTS. LES FAUCONS EUX-MÊMES, SUR LES PERCHOIRS DE LEUR VASTE CAGE, REGARDAIENT LE MONDE EXTÉRIEUR AVEC SUSPICION. La lourde porte donnant sur le pont-levis était grande ouverte, ce qui aurait pu paraître rassurant (on ne se sentait pas en état de siège), mais le pont-levis était fermé, et la herse baissée. Les visiteurs pouvaient donc entrer par la porte piétonne; toutefois, arrêtés par la herse, ils se voyaient contraints de décliner leur identité et de préciser la raison pour laquelle ils souhaitaient entrer

Justement, une religieuse venait de se présenter à la grille:

– Je suis sœur Saint-Jude. Dame Agnès m'a fait mander.

Le sergent portier cria à un serviteur, qui se dirigeait tranquillement vers les cuisines, un sac de farine sur l'épaule:

– Va prévenir dame Agnès que quelqu'un la demande!

Le serviteur grommela que ce n'était pas son travail, posa son sac sans cesse de maugréer et, s'exécutant quand même, disparut dans l'escalier.

Le portier ne releva pas la herse, priant la religieuse de patienter : il n'agirait pas sans ordre.

Ce fut Réginart qui redescendit avec le serviteur : autorisation était donnée de ne laisser entrer cette personne. Par prudence tout de même, l'homme de garde à la porte la fit accompagner par un sergent en armes.

– Qui est-ce ? demanda Garin à l'enfant.

– Une religieuse très connue.

– Très connue pour quoi ?

– Chchch... elle sait lire dans les urines et les lignes de la main.

Tiens, tiens... Dame Agnès avait donc de si vives craintes, qu'elle s'était résolue à convoquer une personne étrangère au château ? Était-ce à cause de la disparition du prisonnier ?

La pensée du prisonnier ramena Garin à sa préoccupation antérieure. Il se dirigea d'un pas vif vers le donjon.

La grosse tour semblait déserte : les hommes de garde avaient pris leur poste de surveillance tout en haut. Cela faisait plutôt son affaire.

Voyons... le cachot... Il examina la porte (du bois en bas, une grille en haut), le système de fermeture, pénétra dans la cellule et tira le battant sur lui : non, il ne voyait pas comment on aurait pu ouvrir cette porte de l'intérieur. On ne pouvait agir sur l'énorme loquet que de l'extérieur. Le prisonnier s'était réellement volatilisé. Soudain, Garin repensa à sa tache d'encre en forme de papillon, qui l'avait – allez savoir pourquoi – fait songer au prisonnier. Voilà, c'était cela, le prisonnier s'était transformé en papillon. Il haussa les épaules.

Des pas...

Ne tenant pas à être surpris ici, il s'empressa de gagner les courtines.

Réginart y était, le regard scrutant l'horizon. Il accorda à peine attention à l'arrivée de Garin. Enfin, tendant le doigt en direction du nord, il dit :

– Un cheval.

Il fallait avoir de bons yeux, mais sur le chemin, là-bas, quelque chose se déplaçait effectivement assez vite, assez vite pour qu'il puisse s'agir d'un cheval. Ils étaient bien placés pour le regarder venir.

– Un chevaucheur, affirma Garin.

– Un messager ? Vous croyez ?

Le mot les précipita ensemble vers le donjon, puis la petite tour, qu'ils traversèrent en courant pour se retrouver sur la courtine ouest et suivre des yeux le cavalier.

Celui-ci ralentissait déjà son allure en arrivant sur les lices.

Un messager ! Qui l'envoyait ? Qu'avait-il à dire ? Bonnes ou mauvaises, les nouvelles mettaient toujours du piment dans la vie.

Un messager! C'en était bien un. A la large bandoulière de cuir qui lui ceignait le torse, il portait une petite boîte à missives. Il s'arrêta devant l'entrée du château, et discuta un court instant avec les sergents de garde.

Quand le « plong » du pont-levis retentit, Réginart et Garin se trouvaient déjà à mi-hauteur de la tour portière.

La boîte d'où le chevaucheur extirpa sa missive ressemblait à un petit bouclier très bombé, portant un aigle à deux têtes aux ailes déployées, barré d'une bande rouge... Les armes de Bertrand du Guesclin!

L'homme tendit le message au seigneur Alain, puis referma à clé sa précieuse boîte.

Réginart et Garin s'approchèrent. Tous les sergents présents jetaient maintenant vers la missive des regards interrogatifs.

Le seigneur Alain tourna le petit parchemin plié en quatre entre ses doigts avant de se décider à en briser le sceau.

– Je préfère que vous le lisiez! dit-il au capitaine de la garnison. Cela vous concerne sans doute plus que moi, puisque vous êtes responsable de la défense du château.

– Nous ne savons pas si cela concerne la défense... opposa le capitaine Briselance, qui visiblement ne savait pas lire non plus.

En un instant, le seigneur Alain évalua la situation.

– Vous avez raison, dit-il, cela peut être absolument secret. Je vais le lire tranquillement dans ma chambre, et je donnerai des ordres en conséquence s'il est nécessaire.

Le capitaine s'approcha alors vivement du seigneur Alain et lui souffla quelques mots à l'oreille. Sur quoi le seigneur hocha la tête, avant de disparaître dans l'escalier de la tour.

Aussitôt, de petits groupes se formèrent. On supputait la teneur de la nouvelle.

Réginart rejoignit Garin.

– On se méfie de vous, annonça-t-il.

– De moi ? Qui ?

– Briselance. Il a demandé à mon père que tout ce qui touche à la sécurité du château vous soit caché

– Mais...

– Moi, remarquez, je ne crois pas que vous soyez un espion. Vous êtes beaucoup trop bavard pour cela, mais vous êtes un étranger, et quand il se passe des choses bizarres...

Garin ne sut s'il devait prendre la première partie du discours pour une critique ou un compliment. Ainsi, on se méfiait de lui ?

Il n'eut pas le temps de s'appesantir sur la question : dame Agnès venait d'apparaître dans la salle d'entrée, et Garin comprit que c'était par elle que le seigneur Alain avait fait lire le message, car Réginart demanda aussitôt en chuchotant :

– Mère, qu'y avait-il dans la missive ?

Dame Agnès eut un regard pour Garin, puis elle dut juger qu'il n'était pas mauvais qu'il connaisse aussi la nouvelle, car elle répondit à voix basse :

– Le message de messire du Guesclin dit que le duc de Lancastre n'a point de fils.

Point de fils ! Point de fils ! Le chapelain agita ses bras vers le ciel. Se pouvait-il que ses craintes se vérifient de si angoissante façon ? Satan avait bel et bien emprunté une fausse identité humaine. Garin détourna son regard. Point de fils ! Cela signifiait en tout cas que le prisonnier n'était aucunement ce qu'il prétendait. Garin en eut froid dans le dos : avait-il eu affaire à un suppôt de Satan ? Il cherchait à se rappeler le regard du prisonnier... Le diable lui-même ? Il se tassa involontairement dans son coin. Pour réfléchir, juste pour réfléchir !

Vrai... la machination avait été diabolique, car sans en avoir l'air, le prisonnier l'avait mené là où il voulait. En bref, on s'était servi de lui pour propager une fausse nouvelle, et il n'avait pas résisté. Diabolique... Et le pire... le pire, c'est que cela donnait épouvantablement raison au capitaine de la garnison. Certes il avait été floué, mais on pouvait tout aussi bien le considérer comme complice. D'ailleurs, il l'avait été, complice ; complice involontaire !... Le regard mauvais du capitaine n'avait pas pu lui échapper.

Complice de qui ? De Satan ? Oh ! saint Garin protégez-moi. Si le diable en personne l'avait manipulé, qu'allait-on faire de lui ?

Ses yeux inquiets revinrent vers le chapelain. L'homme, bouleversé, s'était mis en prière, et il y avait sur son visage une telle peur, que Garin y vit le reflet de la sienne. Avait-il l'air aussi ridicule que cela ? Ah non ! Il fallait se ressaisir. Suffit ! Il s'était fait avoir, oui, mais pas forcément par un être des Ténèbres.

Après mûre réflexion, le seigneur Alain avait dû lui aussi se ressaisir car, lorsqu'il redescendit, il semblait plus furieux qu'inquiet. Il avait déjà débattu avec Briselance, et pris une décision. Il lança avec une certaine brusquerie :

– Convoquez-moi tous les sergents qui étaient de garde cette nuit !

Son visage était revêche. Non seulement il avait de graves soucis, mais en plus... Personne n'aime à se voir ridiculiser, or le seigneur Alain, tout comme Briselance, avaient vraisemblablement été l'objet de moqueries, dans le camp de du Guesclin.

Son regard fit vivement le tour de la salle, puis se leva vers la cour. La vue des remparts, tout au fond, parut soudain lui rappeler quelque chose.

– Bredan ! s'exclama-t-il tout à coup. Où est l'écuyer ?

Garin s'aperçut à ce moment que cela faisait en effet un bon moment qu'il n'avait pas vu Bredan et, dans le même temps, bizarrement, il remarqua que le seigneur Alain avait dit « l'écuyer » et non pas « mon écuyer ». Bredan n'était-il pas l'écuyer du seigneur Alain ?

Il aurait voulu le demander à Réginart, mais Réginart avait disparu. Dans la salle d'entrée où ils se tenaient se fit alors un brouhaha. On était content de tromper un moment l'angoisse d'une aussi étrange évasion. Bredan ? Qui avait, le dernier, vu Bredan ?

On chercha dans sa mémoire.

– Il n'était pas à la messe ! martela le capitaine Briselance.

– Il n'était pas à la messe... répéta le seigneur Alain comme s'il venait de découvrir la clé d'un trésor.

Ses mains s'agitèrent. On sentait qu'il avait soudain tout compris. Il fit quand même un effort pour garder son calme, et demanda :

– Quelqu'un l'a-t-il vu ce matin ?

Grand silence.

– ... J'en étais sûr... fit-il alors entre ses dents. J'en étais sûr.

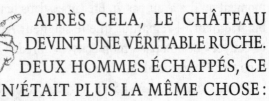

APRÈS CELA, LE CHÂTEAU DEVINT UNE VÉRITABLE RUCHE. DEUX HOMMES ÉCHAPPÉS, CE N'ÉTAIT PLUS LA MÊME CHOSE : Bredan, on le connaissait, c'était peut-être un traître – peut-être –, mais pas un esprit satanique.

– Je l'ai toujours su ! répétait sire Alain. Sale félon ! Il a libéré le prisonnier. Je l'ai toujours su. Quelle bêtise, d'avoir accepté de garder avec moi l'écuyer du sire de Crahan !... Ah ! J'en étais sûr !

Voilà qui était stupéfiant. Qui était ce sire de Crahan ? Comment se faisait-il que Bredan soit ici, s'il était l'écuyer de cet autre seigneur ? Et puis, Bredan avait-il vraiment fait évader le prisonnier ? Pourquoi ?

Depuis la fenêtre des latrines, le capitaine Briselance observait Garin. Sale petit fouineur, celui-là ! Toujours partout, dans des endroits où il n'avait rien à faire, à écouter, à espionner. La disparition de Bredan arrivait vraiment trop mal à propos, sinon, il aurait pu plus facilement mettre le seigneur sur la piste de ce scribe de malheur, qui faisait un suspect idéal.

Inventaire du château! Belle excuse pour mettre son nez là où ça ne le regardait pas!

Le capitaine tenta de se raisonner: Garin ne pouvait rien trouver de grave, rien! Cette histoire était enfouie depuis longtemps dans le sous-sol du cul-de-basse-fosse comme dans les esprits. Plus personne au château ne se rappelait la disparition de sa femme. On la croyait partie avec son amant, et lui-même avait accrédité cette version des faits, malgré la honte de devoir passer pour un mari trompé.

Oui, c'était une trop vieille histoire, et pourtant, quand il y pensait, le sang affluait à ses joues, la fureur envahissait son cœur, encore aujourd'hui. C'était après le siège d'Hennebont, où il se battait avec les troupes de Charles de Blois. L'année 1342. Ils avaient été bien malmenés par le parti des Montfort et, l'armée s'étant disloquée un temps pour reprendre souffle, il était revenu inopinément à Montmuran. Et là... – il en bouillait encore – il avait découvert que sa femme l'avait remplacé par le fauconnier, un médiocre, un insignifiant, une savate, un rien du tout. Il leur avait passé son épée à travers le corps. Ils gisaient maintenant tous deux à six pieds sous terre au plus profond du donjon. Non... ce morveux ne pouvait exhumer cette histoire ancienne. Il n'en restait aucune trace visible, et personne n'avait jamais rien su de la vérité de cette affaire. Tout de même, ce fouille-merde l'agaçait...

Préoccupé par tout cela – le scribe, l'écuyer, le prisonnier – il quitta les latrines dans un grand état d'énervement et se joignit de nouveau aux recherches.

– Avez-vous bien fouillé partout, cette fois ? cria le seigneur Alain.

– Partout, répliqua le capitaine d'un ton furieux. Mais pensez, messire, ils sont loin maintenant. J'ai tout de suite envoyé trois de mes hommes à leur poursuite… mais c'est perdu d'avance, aucune chance de les retrouver. Ce traître… il lui a ouvert la porte et il a filé avec lui ! Ils sont partis vers le nord, naturellement ! La route de l'Angleterre !

– Ou vers le sud, rectifia le capitaine. Ruse.

Le seigneur eut un soupir excédé.

– Trois hommes, évidemment, c'est insuffisant, mais démunir le château, en des temps si troubles…

Il y eut soudain une agitation insolite du côté du pont-levis. Des pas précipités. Deux gardes entrèrent en courant.

– Messire Alain ! Messire Alain ! Nous venons de retrouver le corps de l'écuyer Bredan. Dans les douves, messire, dans les douves !

Là-bas, au pied des grands frênes, on avait couché l'écuyer en terre. Il était facile de repérer la tombe : son chien s'était allongé dessus et refusait de la quitter. Depuis le décès de son maître, il n'en avait pas bougé.

La mort de l'écuyer avait curieusement transformé l'ambiance, à Montmuran. Garin n'avait plus vu personne de la famille du seigneur, sauf le seigneur lui-même, qui allait et venait dans le château d'un pas sec et coléreux.

Dame Agnès et Mathéa n'apparaissaient plus au dîner. Réginart lui-même semblait abattu, et Garin n'avait pas réussi à lui adresser trois mots. Enfin si, un peu plus de trois mots, mais qui n'avaient rien résolu :

Bredan était l'écuyer du seigneur de Crahan ?

Un signe de tête.

– Vous savez qui est le seigneur de Crahan ?

– Il est mort.

– Pourquoi son écuyer était-il avec vous ?

Réginart lui avait seulement décoché un regard méfiant, et s'était éloigné.

« Plong ! » Le pont-levis.

Garin se pencha au-dessus des créneaux. Quoi ? Mathéa dehors ? Elle venait de sortir, escortée par deux gardes qui avançaient sans quitter des yeux le sous-bois, de l'autre côté des lices. On avait dégagé tous les fourrés aux abords du château, pour que rien ne puisse servir de cachette à un éventuel assaillant, mais on ne s'était pas encore résolu à abattre les arbres.

Garin suivit des yeux la mince silhouette. Comme elle allait passer de l'autre côté du château, il courut sur le chemin de ronde, traversa la petite tour et le donjon, pour se retrouver sur la courtine nord. La jeune fille s'était arrêtée sur la tombe de l'écuyer. Elle y posa un bouquet de fleurs jaunes et pria. Et puis il sembla à Garin qu'elle parlait au chien. Elle lui gratta d'abord le dessus de la tête, puis derrière les oreilles – comme les chiens aiment – puis le poil rêche du poitrail entre les pattes de devant.

Cela dura longtemps. Garin n'entendait pas ce que la jeune fille disait. Finalement, elle se releva. Le chien fit de même. Oui... il la suivait maintenant. Ils rentraient au château. Les gardes leur emboîtèrent le pas.

Le regard de Garin erra un moment sur les lointaines forêts. Bredan était mort, le prisonnier avait disparu avec son secret, seules restaient les questions sans réponses. Bredan... sans doute supprimé par le prisonnier dont il avait découvert l'évasion. Mais alors... le mystère de l'évasion elle-même demeurait entier... Et ce prisonnier, pourquoi avait-il donné un faux nom ? Qui était-il vraiment ?

Garin redescendit des courtines. Son intention était de passer par la salle des manœuvres, comme il le faisait souvent mais, cette fois, il fut dissuadé par les voix du capitaine et du seigneur Alain, qui venaient de ce côté. Il préférait les éviter. Le diable n'était sûrement pour rien dans l'évasion, mais cela ne semblait pas avoir beaucoup changé l'attitude du capitaine vis-à-vis de lui.

En période troublée, Réginart l'avait bien dit, les étrangers au lieu risquent toujours de se voir accusés de n'importe quoi... Mais non, personne ne pouvait le mettre dehors ! Il devait attendre le retour de la dame de Montmuran pour remettre son inventaire et se faire payer.

Il entendit le seigneur qui disait :

– Il sait bien que le château est pour l'instant trop légèrement défendu, pour la bonne raison que beaucoup d'hommes ont accompagné Bertrand du Guesclin. Croyez-moi, il ne manquera pas d'en faire état dès qu'il aura rejoint les troupes anglaises. D'ailleurs, c'est peut-être pour cette unique raison, qu'il s'est échappé. Soyez vigilant !

– Comptez sur moi, je me tiens sur mes gardes. Mais autre chose m'inquiète : puisque Bredan est mort, si nous n'admettons pas la possibilité que le prisonnier se soit échappé par magie, nous devons penser à quelqu'un d'autre...

Les voix, se rapprochant de lui, obligèrent Garin à faire demi-tour, et à descendre l'escalier un peu trop vite. Crédiou ! Il craignait de deviner les médisances du capitaine.

Si Satan n'était responsable de rien, il vaudrait mieux qu'il trouve, lui, Garin, un possible coupable, ce qui le mettrait hors de cause. Une pensée lui vint à l'esprit : personne ne semblait douter un instant que le prisonnier se fût enfui. Et si ce n'était pas le cas ? S'il avait tout simplement été assassiné ?

Bien sûr, il y avait le problème de la rançon... On avait tout intérêt à le garder en vie... Mais peut-être existait-il d'autres intérêts, supérieurs, qu'il ne connaissait pas, et le capitaine de la garnison ne lui avait jamais inspiré confiance. En bref, il n'aurait pas été surpris que le prisonnier fût retrouvé sous forme de cadavre. Mais alors... où l'aurait-on fait disparaître ?

Une pensée affreuse le traversa. Non, pas ça...

En débouchant dans la salle d'entrée, Garin se jura bien de ne plus jamais boire de l'eau du puits intérieur.

12

GARIN RAGEAIT. QUELLE HORRIBLE SITUATION! LE BRUIT COURAIT QUE C'ÉTAIT LUI, LE POSSIBLE COMPLICE DU PRISONNIER, puisqu'il était à l'origine de la tromperie sur le nom... Mais enfin, il ne l'avait tout de même pas inventé ce nom! Le seigneur Alain et le capitaine étaient allés parler au prisonnier, après. Cela avait confirmé ses dires. On ne voyait pas comment on pourrait lui tenir rigueur de quelque chose, à lui, car enfin, le prisonnier les avait tous trompés. Tous.

Le prisonnier... Oh! Quelle bêtise d'avoir regratté le parchemin, il aurait pu vérifier l'encre... Quels étaient les mots, déjà?

« ... geôle. Mission fort compromise. Je vais tenter de... »

C'était quelque chose comme ça. Ces mots pouvaient-ils avoir été tracés par *leur* prisonnier? Comment?

Imaginons que quelqu'un lui ait apporté un morceau de parchemin, le premier qui lui tombait sous la main, que le prisonnier y ait écrit son message, et puis qu'un gêneur soit arrivé à ce moment. Alors le « quelqu'un » avait vite repris la feuille pour qu'on ne risque pas de la trouver chez le prisonnier, et l'avait jetée dans le coffre en attendant.

En attendant ! Mauvaise affaire, car on avait eu besoin du parchemin et on l'avait regratté.

Une pensée frappa Garin : une personne, une seule, avait fait un geste pour lui éviter d'avoir à écrire sur un aussi mauvais support... Bredan !... Pour lui éviter, ou pour l'empêcher ?

Il considéra la porte de la geôle d'un œil inquisiteur. « Mission fort compromise. » Si c'était bien leur prisonnier qui avait écrit cela, de quelle mission parlait-il ? Une mission dans le château ? Hors du château ?... Oui, peut-être... parce que, Garin le savait mieux que personne, ils avaient tous été capturés par surprise.

Pas moyen d'être tranquille, voilà qu'on venait.

Par pure discrétion, il se réfugia dans l'escalier qui montait à la salle seigneuriale.

D'après les voix, qu'il aurait reconnues entre mille, il s'agissait de la belle Mathéa et de son père. Le seigneur Alain disait :

– On ne me fera pas accroire qu'il est sorti de sa geôle par sorcellerie. Quelqu'un a ouvert la porte.

– Mais qui soupçonner, père ?

– Je ne sais, bougonna le seigneur, mais c'est bien votre écuyer, Bredan, qui était chargé de lui apporter sa nourriture !

Tiens... « Votre » écuyer.

– ... Et cessez de pleurer, je vous prie, continua sire Alain. Votre attitude m'agace profondément. Que Bredan soit mort ne me fait aucune peine. Ce n'était qu'un écuyer, or, à voir le visage que vous faites tous, on pourrait croire que vous avez perdu un membre de votre famille. Votre mère soupire, vous pleurez, quant à Réginart, c'est à peine s'il desserre les dents.

– Nous y étions tous très attachés...

Le chagrin de Mathéa réveilla un instant le grand destin de Garin : sauver une damoiselle. Mais raisonnablement, si celle-ci était triste, elle ne semblait pas pour autant en péril.

– Bien sûr, vous y étiez très attachés, répondait le seigneur, mais il y a un temps pour tout, un temps pour pleurer et un temps pour rire. Que vous ayez de la peine, je le comprends. Mais maintenant c'est fini. D'autant que rien ne prouve qu'il ne soit pas en faute. Contrairement à ce que croit Briselance, la mort de Bredan ne le disculpe en rien. Voilà comment je vois l'affaire : au lieu de lui passer la nourriture par le regard prévu pour cela, Bredan a pu sottement ouvrir la porte. Le prisonnier l'a maîtrisé avec une arme, un poignard ou je ne sais quoi, peut-être pris sur Bredan lui-même, et l'a emmené pour protéger sa fuite. Ensuite, au lieu de descendre, il est monté et, arrivé sur les courtines, il s'est débarrassé de son otage en le balançant par-dessus les créneaux.

Cette version soulagea grandement Garin. Ouf ! Malgré les bruits qui couraient sur son compte, le seigneur ne le soupçonnait pas.

– Bredan ne se serait pas laissé faire, affirma Mathéa d'un ton ferme.

Le seigneur Alain poussa un petit grognement, juste avant d'ajouter :

– Nous ne savons rien de sûr. Mais pour moi, nul doute que le prisonnier a tué Bredan pour s'enfuir. Et si ce n'est pas cela, c'est bien pire : ne m'obligez pas à penser que Bredan aurait pu être complice, et que les choses auraient simplement mal tourné.

Ahi ! Garin fut dérangé dans son repaire par le vieux Jean-sans-peur, qui vint le renifler avec un manque de savoir-vivre consternant. Naturellement, il était là aussi, celui-là ! Il ne quittait plus Mathéa d'une semelle.

– Qu'est-ce qu'il y a, Sans-peur ? demanda Mathéa.

Le chien tourna la tête en entendant son nom, puis redescendit calmement les quelques marches. Garin jugea prudent de s'élever de quelques degrés. Il était arrivé au niveau de la petite salle de chauffe de l'étuve. Il y jeta un coup d'œil ; on n'y avait pas allumé de feu. S'y réfugier ? Hum... si quelqu'un venait, difficile de prétendre qu'il était là pour se réchauffer les mains !

Il regretta de n'avoir pas emporté son écritoire. Il se sentit sans défense.

L'étuve ! Si on lui demandait quelque chose, il dirait qu'il établissait l'inventaire de ce qui s'y trouvait.

Montant les dernières marches, il entra dans la salle seigneuriale et ouvrit discrètement une porte : non, ici, on était dans les latrines. La porte d'à côté, peut-être ? C'était bien cela, l'étuve. Il se glissa dans le passage qui ouvrait sur une pièce minuscule, toute blanche, avec de petites auges creusées dans les murs pour l'eau qui arrivait toute chaude de la salle de chauffe du dessous.

Ahi! Voilà qu'on parlait dans la salle seigneuriale, maintenant! Dieu et saint Garin étaient témoins que, cette fois, il n'avait pas du tout cherché à écouter ce qui ne lui était pas destiné.

Pas de seigneur Alain, apparemment. Rien que Réginart... à qui parlait-il?... A sa sœur.

– Ce n'est pas un accident, disait-il, croyez-moi, Mathéa, j'y ai bien réfléchi. Avez-vous vu où on a retrouvé Bredan? Cela signifie qu'il serait tombé du chemin de ronde. Or, à cet endroit, le muret est très haut, et il n'y a pas de créneaux.

– Vous voulez dire...

– Qu'il n'est pas tombé tout seul. D'ailleurs son casque se trouvait sur le bord du fossé et lui au centre, dans l'eau, au milieu des herbes. Quand il est arrivé là, il était déjà mort, ou sans connaissance, j'en suis sûr.

Mathéa soupira:

– Mais alors, qu'est-il arrivé?

– Père soupçonne Geoffroy de l'avoir assommé.

– Sûrement pas! s'écria Mathéa avec véhémence. Je vous interdis de croire une chose pareille

Garin s'arrêta de respirer. Avait-il bien entendu? Qu'est-ce que cela signifiait? Geoffroy...

– Mais je n'en crois rien, protesta le garçon.

– Comment cela a-t-il pu arriver? reprit Mathéa avec du désespoir dans la voix. Bredan devait juste lui ouvrir la porte. Il n'était pas question qu'il l'accompagne dans sa fuite.

Garin en était tout éberlué. Réginart répondit aussitôt:

– Il ne l'a pas accompagné, c'est pourquoi je ne peux comprendre ce qui s'est passé.

– Comment êtes-vous sûr... ?

– Parce que c'est moi qui l'ai accompagné.

– Vous ? Mais il était convenu...

– Je voulais être certain qu'il ne se perde pas. Et ce n'est plus la peine de gronder, ce qui est fait est fait.

Un long silence, puis Mathéa reprit :

– Vous avez raison. Dans ce cas, l'accident devient de plus en plus incompréhensible.

– Toutefois, précisa Réginart, je ne l'ai accompagné que jusqu'à la courtine... J'avais peur qu'on l'entende jeter la corde et descendre le long du mur et si quelqu'un m'avait trouvé là...

Garin se sentait oppressé. Il fixait le seul petit rectangle de la salle qu'il pouvait voir, d'un air stupéfait. A ce moment, Réginart passa devant lui. Il se rejeta dans l'ombre. Le garçon l'avait-il aperçu ?

Un long moment, il le crut, car les deux voix s'étaient tues. Et puis non... la conversation finit par reprendre :

– Vous ne devriez pas défendre le prisonnier, dit Réginart, ça pourrait éveiller les soupçons de père.

– Me prenez-vous pour une sotte, mon frère ? Je ne lui ai rien dit, bien sûr. Je ne parle jamais de Geoffroy.

Ainsi, il avait bien saisi. Geoffroy était le nom du prisonnier, et ils avaient l'air de bien le connaître... Oh ! comme il s'était laissé fourvoyer. La suite de la conversation fut pour lui pire encore.

Car il comprit. Il ne comprit que trop bien : le nommé Geoffroy ne se trouvait pas avec les troupes anglaises pour défendre les droits de Jean de Montfort sur le duché de Bretagne, mais par amour pour Mathéa, simplement pour pouvoir l'approcher.

Toutes les illusions que Garin nourrissait encore – et qu'il n'aurait reconnues pour rien au monde – s'effondrèrent d'un seul coup.

Sur l'instant, son mouvement d'humeur l'entraîna vers des pensées bien peu dignes du chevalier errant qu'il était au fond de lui. Enfin, il se ressaisit : Mathéa pleurait. Son ami de cœur s'était enfui, certes, il se trouvait en sécurité quelque part, mais l'écuyer était mort, et Mathéa vivait avec l'angoisse que le prisonnier puisse être pour quelque chose dans cette mort.

– Que faites-vous là ?

Réginart venait de pénétrer dans l'étuve, et le considérait d'un air soupçonneux.

– Rien, grogna Garin. Je visitais quand vous êtes arrivés. Mon intention n'était nullement d'espionner (et en plus, c'était vrai !).

– Vous avez entendu ce que nous avons dit ?

Comment mentir ? Ça n'aurait guère été crédible. « Il ne faut mentir que lorsqu'on est sûr de ne pas être découvert, sinon on est pris pour un menteur »... vieux proverbe sarrasin traduit du mongol par saint Garin.

– J'ai entendu, dit Garin, mais je ne dirai rien. Tout ce qui entre par mes oreilles se perd entre les deux, c'est pourquoi je suis toujours vivant.

– Peut-on vraiment vous faire confiance? demanda Mathéa.

– Je n'ai nul intérêt, observa Garin, à ébruiter ce que je sais. Un scribe, c'est comme un confesseur. S'il n'en était pas ainsi, je perdrais mon gagne-pain.

– Moi, j'ai confiance en lui, dit Réginart.

On entendit des pas dans l'escalier, et dame Agnès apparut.

– Mon Dieu mes enfants! Je vous ai cherchés partout.

Elle s'arrêta en apercevant Garin puis, se ravisant, elle reprit:

– La religieuse voit pour nous un avenir bien troublé.

– Ne vous inquiétez pas, mère, intervint Réginart en bombant le torse, je suis là pour vous défendre.

Dame Agnès eut un pâle sourire. Elle posa la main sur l'épaule de son fils.

– Ce qui me ferait plaisir, Réginart, c'est que vous soyez plus raisonnable et renonciez à faire des sottises. Votre père se plaint, souvent à juste raison. Il faudrait vous rappeler que vous avez onze ans déjà, et que c'est un âge où l'on doit apprendre à devenir un homme.

Réginart se contenta de dodeliner de la tête d'un air bougon.

Dame Agnès se tourna alors vers Mathéa et remarquant ses yeux rougis, elle dit:

– Allons, ma fille, il faut nous remettre à notre ouvrage. Reprenons notre tapisserie. S'occuper les mains empêche de se laisser aller au désespoir. Le temps et le travail sont de grands consolateurs.

– Mère, intervint Mathéa. J'y ai pensé. Nous pourrions broder une tapisserie de grande longueur, racontant l'histoire de notre famille depuis les temps reculés jusqu'à maintenant.

La dame considéra sa fille un moment puis, tournant la tête vers la fenêtre, elle soupira :

– Quelle famille, Mathéa ? Croyez-vous qu'un tel projet puisse plaire à votre père ?

Mathéa baissa les yeux.

Dame Agnès souleva le couvercle de sa boîte à ouvrage puis, sortant un petit écheveau de laine :

– Merci, Garin, dit-elle d'un ton détaché, nous n'avons plus besoin de vous.

Le garçon se sentit un peu gêné : c'est vrai, que faisait-il là, à contempler la scène bêtement ?

– Excusez-moi, bredouilla-t-il.

Il referma ostensiblement la porte derrière lui. Qu'on ne le prenne pas pour un indiscret, quand même !

Bah !

C'était la première fois que dame Agnès le congédiait ainsi. Avaient-ils des secrets à se dire, là-haut ? Des secrets sur quoi ?

... D'ailleurs, quelque chose le gênait, dans cette affaire, et ce n'était pas seulement l'agacement d'avoir découvert le lien de Mathéa et de Geoffroy. Si on admettait que Geoffroy s'était joint aux troupes de Calveley pour entrer avec elles dans le château par amour pour Mathéa, est-ce que ça pouvait s'appeler une « mission » ? ... Ou alors, il fallait admettre que le message sur le parchemin n'avait rien à voir avec cette affaire. Mais...

13

UN BRUIT ÉTONNANT PARCOU-
RUT LE CHÂTEAU, COMME UN
MURMURE, UN VENT D'AVRIL,
ET CE VENT DISAIT : « LE SOU-
TERRAIN A ÉTÉ DÉBOUCHÉ. »
Ce n'était pas un bruit très clair ; personne ne voulait vrai-
ment en parler. Le souterrain était fermé. Quelqu'un en avait
dégagé l'entrée. Mais où ? Quel souterrain ?

Garin avait tenté de se renseigner auprès des servantes, à la
fontaine, là où leur langue s'agite le mieux, mais à sa question, elles se turent subitement, comme inquiètes, et puis
elles se mirent à parler un peu trop vite du temps qu'il faisait
et du froid qui s'éloignait. Et puis rien.

Personne pour lui répondre. Logique, au fond. Un souterrain
est affaire de gens du château, pas d'étrangers comme lui.

Cela ne l'empêchait pas de penser. Si on avait rouvert le
souterrain, c'est qu'on en avait eu besoin. Le prisonnier ? Mais
non ! le prisonnier était descendu dans les fossés !

Tout en haut de la Diablesse, la lumière brûlait toute la nuit. Le vieux ne dormait-il donc jamais? En tout cas, pour l'instant, il ne dormait sûrement pas, car il avait de la visite. Garin l'avait parfaitement vu pénétrer dans la pièce. Il avait parfaitement reconnu sa silhouette. Il n'était pas venu par le donjon, mais par l'autre côté, la courtine est. De là, pour atteindre la Diablesse, il fallait franchir une passerelle de bois, de celles qu'on enlève en cas d'invasion. La fameuse fenêtre donnait côté donjon, sur les créneaux, juste là où se tenait Garin. Une occasion comme celle-ci, même sans curiosité particulière, ne se laisse pas passer. S'asseoir du bout des fesses (derrière, c'était le vide) entre deux merlons. en prenant bien garde à ses pieds, aux ouvertures traîtresses des mâchicoulis... A certains moments, l'intérêt porté à la vie d'autrui nécessitait presque de l'héroïsme. Heureusement qu'il faisait nuit, on ne voyait pas en bas.

– Je vous connais depuis votre naissance, messire Alain, disait le vieux Simon, et vous ne sauriez rien me cacher.

– Je ne cherche pas à vous cacher quoi que ce soit! répliqua la voix du seigneur avec un certain agacement. Il fallait le faire, c'est tout. Notre duchesse, Jeanne de Penthièvre, doit triompher, n'est-ce point votre avis?

– Je ne prendrai pas parti dans cette affaire, répliqua le vieux. Vous ne me ferez pas dire ce que je ne pense pas.

– Tout de même, reprit le comte scandalisé, c'est bien à Jeanne de Penthièvre d'hériter du duché de Bretagne! C'est normal, elle est la fille de Gui de Penthièvre.

Normal...?

– A la mort de Jean III, le duché aurait dû revenir à son frère Gui. Vous êtes d'accord ? Puisque Gui n'était plus en vie, c'est sa fille Jeanne qui devait en hériter. C'est simple.

– On peut voir les choses ainsi, dit le vieux. On peut dire aussi : Jean III étant mort sans enfant, le duché passerait à son frère Gui, s'il était vivant, mais puisqu'il est décédé aussi, le duché doit revenir à son deuxième frère, Jean de Montfort.

Le seigneur Alain ne répondit pas tout de suite. Enfin il lâcha.

– Au fond, je n'en sais rien, mais moi, je suis français, pas breton. Et les Français soutiennent Jeanne de Penthièvre.

– Évidemment, dit le vieux, le mari de Jeanne, Charles de Blois, est le neveu du roi de France.

– Je n'ai pas à considérer les raisons, répliqua le seigneur Alain. Je suis français, je soutiendrai que Jeanne de Penthièvre est duchesse de Bretagne. Bredan étant l'ancien écuyer du sire de Crahan – qui se battait avec les Anglais pour Jean de Montfort – comment pouvais-je avoir confiance en lui ? Je vous le dis en toute franchise, je suis persuadé que c'est lui qui a aidé le prisonnier à s'enfuir.

– Et c'est pour cela que vous l'avez tué ?

– Il avait une mauvaise influence sur ma famille. Je l'ai fait pour le bien de tous. Remarquez, je ne l'avais pas prémédité. Quand je l'ai vu tout seul sur le chemin de ronde, guettant la nuit, j'ai été sûr que c'était un traître. Il ne m'a pas entendu venir. J'ai saisi le plat de mon épée, et je lui ai donné avec le pommeau un coup sur la nuque. Son casque a volé par-dessus la muraille, je l'ai envoyé suivre son casque.

– Votre fille a de la peine.

– Elle s'en remettra. Et puis, c'était l'écuyer de son père, il dressait toujours entre elle et moi le fantôme du seigneur de Crahan. Maintenant, c'est fini, et je respire mieux.

– Cela fait déjà deux ans, que vous avez épousé la veuve du sire de Crahan.

– Oui. Et parfois je le regrette. Quand je vois Mathéa – je suis sûr qu'elle ne m'aime pas – et le jeune Réginart, maigre comme une sauterelle, avec pas plus de cervelle qu'un étourneau, je me dis que j'ai peut-être eu tort d'épouser dame Agnès. Si j'avais pris une femme plus jeune, j'aurais eu moi-même des enfants, plutôt que d'élever ceux des autres, et ils auraient pu me ressembler, au lieu de me faire honte, comme ce gringalet de Réginart.

– Tout va à vau-l'eau, dit le vieux Simon, mais il est encore jeune, et vous devriez garder toujours en mémoire qu'un enfant devient vite un adulte, et qu'alors il vous juge.

Le seigneur ne répondit pas.

– Songez aussi qu'au contraire de Mathéa, lui peut vraiment vous adopter comme son père, puisqu'il n'a jamais connu le sien... Savez-vous comment est mort le sire de Crahan ?

– Lors du siège de Vannes, à ce qu'on m'a dit... Ah ! je ne sais comment cette guerre finira. J'espérais que la mort de Jean de Montfort réglerait tout, mais non, ses partisans prétendent qu'il était duc, et que c'est donc son fils Jean* qui est l'héritier.

– Son fils... même les morts ont des fils, dit bizarrement le vieux. Où se trouve-t-il ?

– En Angleterre, naturellement. Sur le sol breton ou français,

* Jean, fils de Jean de Montfort, régnera en Bretagne sous le nom de Jean IV.

le jeune Jean de Montfort aurait été assassiné depuis long-temps. Cela aurait tout réglé. Aujourd'hui il a quatorze ans... presque l'âge de prendre lui-même les armes. La guerre n'est pas finie, croyez-moi!

Il y eut un silence.

– Et puis, reprit sire Alain, n'oublions pas qu'actuellement, Charles de Blois est prisonnier en Angleterre. Cela n'arrange pas nos affaires.

– Prisonnier... Charles de Blois...

– Cela met notre parti de Penthièvre bien en difficulté. Pensez! Un personnage de cette importance! Personne ne réussira jamais à réunir sa rançon. Nous sommes obligés de continuer à nous battre sans lui.

... Se battre, dit lentement Simon, guerre, sang. Le monde vit dans le sang. Mais le châtiment de Dieu viendra. Le fléau de Dieu s'abat-tra sur son peuple, et la terre dis-paraîtra sous le feu et la cendre.

Des mouvements. Des grin-cements sur le sol. Garin se releva vivement.

– Eh! lança la voix du seigneur Alain, il y a quelqu'un sur le chemin de ronde, là... La porte de la Diablesse s'ouvrit en coup de vent. Garin se jeta dans la salle de guet du donjon. Dieu! Si le seigneur Alain le reconnaissait, sa peau ne valait pas cher!

Ah! Il eut peine à étouffer un cri. Un grognement venait de

l'arrêter. Un grognement dans le noir, à l'intérieur. Un chien? Sans réfléchir, Garin bondit dans l'escalier et le dévala. Le seigneur Alain, un chien, saint Garin, sauvez-moi!

Il s'appuya au mur. Il n'y avait plus aucun bruit. Personne ne l'avait donc suivi? C'était trop beau... Pourquoi?

Le chien, réalisa-t-il brusquement, le seigneur Alain avait aussi été arrêté par le chien. Sans doute avait-il cru que c'était lui qui se trouvait sur le chemin de ronde. Ses deux agresseurs s'étaient neutralisés l'un l'autre. Oh! saint Garin, merci!

Non, le seigneur Alain ne l'avait pas reconnu, du moins il l'espérait. Pas reconnu.

Affalé sur une marche, les jambes coupées par l'émotion, Garin tentait de reprendre son souffle. Ainsi, le seigneur Alain avait tué Bredan, ainsi Mathéa et Réginart n'étaient pas ses enfants. Quelle soirée!

Il comprit soudain pourquoi dame Agnès tenait à ce que Réginart précise toujours «mon père, le seigneur Alain». Étant donné le caractère du seigneur en question, mieux valait éviter toute rébellion. La vie était sans doute déjà assez difficile comme cela.

Péniblement, il se redressa. Il était prudent de ne pas rester là. Si le chien... Quel chien?... Jean-sans-peur? Il ne le craignait pas, celui-là, et pourtant, cette pensée le mit mal à l'aise. Si Jean-sans-peur était là-haut, Mathéa y était aussi. L'avait-elle vu? Pourquoi se trouvait-elle dans la salle de guet du donjon?

Il l'imagina, assise sur une bordure de pierre. Que faisait-elle?... Elle réfléchissait, oui, elle réfléchissait toute seule dans le noir. Garin comprenait cela : il est tout à fait impossible de demeurer assis, en public, à méditer, sans que quelqu'un vous jette un regard en coin, l'air de se demander ce que vous faites là, à bayer aux corneilles, sans rien pour vous occuper les mains.

Terrible !... Est-il donc si mal venu de réfléchir ? Inquiétant pour les autres peut-être, qui, s'ils peuvent voir ce qui vous occupe les mains, sont dans l'incapacité de voir ce qui vous occupe l'esprit. Donc, pour s'absorber dans ses pensées, il faut donner l'impression de s'occuper... ou de dormir, cela, on vous le pardonne.

Mathéa songeait à Geoffroy, bien sûr.

Garin eut un soupir involontaire.

Geoffroy. Souterrain ou pas ?

Il serait peut-être prudent qu'il le cherche, ce souterrain. Son cœur, qui battait encore douloureusement, lui rappelait qu'un événement comme celui de ce soir pouvait fort bien se reproduire. Qui pouvait dire si le seigneur Alain n'apprendrait pas un jour... Ah ! maudite curiosité !

Garin eut un petit rictus moqueur. Pas de comédie, sa curiosité ne l'avait jamais déçu, et même ce soir, il n'arrivait pas à la regretter.

Bon. Où se trouvait donc ce souterrain ? La salle seigneuriale constituait peut-être un bon point de départ. Derrière la tapisserie, par exemple.

Ce n'est qu'en pénétrant comme un boulet dans la grande salle, qu'il se rendit compte qu'elle était éclairée par plusieurs chandelles.

Dame Agnès sursauta :

– C'est vous, Garin ?

– Euh... C'est moi, dame Agnès, j'étais sur le chemin de ronde...

– Entrez, je voulais justement vous voir... Je souhaiterais envoyer une missive.

– Oui, dame Agnès ?

Le ton de la dame était si hésitant que Garin se demanda s'il y avait d'autres secrets enfouis dans les coins. Il sentait que ses jambes tremblaient encore. Il jeta un coup d'œil inquisiteur à la tapisserie, mais naturellement, rien ne transparaissait.

– Je ne souhaiterais pas que mon mari fût au courant, finit la dame rapidement.

– Je suis muet, dit Garin.

– ... Non que ce soit un secret, précisa-t-elle, mais cela pourrait lui faire de la peine, même s'il n'y a aucune raison pour cela. Allons chez moi, nous y serons plus tranquilles.

Sans dire un mot, ils se saisirent chacun d'une torche, qu'ils allumèrent à la flamme des chandelles, et quittèrent le donjon, l'un derrière l'autre, pour gagner les tours portières.

Les torches portaient sur les pierres des ombres mouvantes. Garin ne pouvait s'empêcher d'examiner les murs, cherchant un signe trahissant l'entrée du souterrain. Il faudrait tâter toutes les pierres. Mais non! S'il avait été débouché, c'est qu'il ne s'agissait pas d'une porte dissimulée, d'une pierre a faire pivoter. Non : l'accès en était sans doute masqué par une tenture, un dressoir... Il pouvait s'ouvrir n'importe où, et descendre vers les fondations du château par un escalier dérobé... ou bien il prenait dans la cour, simplement, dans une remise, derrière un tas de fagots, une vieille charrette, dans les écuries...

« ... Dans la chambre de la dame? » se demanda-t-il en accrochant sa torche au support scellé dans le mur.

La pièce où ils étaient entrés – pas une chambre, puisqu'il n'y avait pas de lit – sentait bon le parfum. Sur une petite table de toilette, un beau miroir de verre, que Garin contempla avec intérêt.

La dame dut surprendre son regard, car elle dit :

– Vous ne vous êtes jamais vu dans un miroir de verre?

– Ma foi non.

– Regardez. Vous verrez, c'est très précis, beaucoup plus que le métal poli.

Garin ne résista pas, et ce qu'il vit le stupéfia : un visage étroit, bruni par le soleil, des cheveux blondasses hirsutes (il se les taillait au couteau), un cou maigre. A part cela, un nez moyen, des yeux moyens (gris-vert?), une bouche moyenne (vite expressive), des oreilles moyennes (plutôt bien dessinées), un menton volontaire.

– Se voir de l'extérieur, souffla-t-il étonné, ce n'est pas du tout comme se voir de l'intérieur.

Il reposa le miroir sur la table, et décréta :

– Je préfère me voir de l'intérieur. Là, je ne me suis pas étranger.

– Je vous comprends, dit la dame. Toutefois, se regarder de l'extérieur ne sert pas à se voir soi-même, cela sert seulement à voir l'image qu'on offre aux autres. On peut la rectifier pour la rendre plus avenante, mais cela ne changera jamais ce qu'on est au fond de soi, son image intérieure.

– La vraie ?

– La vraie, approuva la dame en jetant un regard rêveur vers le miroir. Ainsi moi... vous me voyez élégante, soignée, bien coiffée, alors qu'à l'intérieur, je suis un peu... en ruine.

– Pas en ruine, protesta Garin, ça se verrait sur votre visage. Parce que ce qui est trop fort à l'intérieur finit par transparaître, au moins par les yeux, qui sont la porte de l'intérieur.

– Vous me paraissez bien réfléchi, pour votre âge.

– Ne croyez pas cela. C'est seulement que je suis souvent seul, et que j'ai le temps de penser.

La dame sourit.

– Alors, vous me faites plaisir en m'apprenant que je ne suis pas en ruine. Disons que je suis... un peu déchirée. La lettre que je veux vous faire écrire est destinée au frère de mon premier mari. Il nous aime beaucoup, les enfants et moi, mais il m'est difficile de lui donner de nos nouvelles sans provoquer l'agacement chez le seigneur Alain. Non que ce soit un méchant homme, mais il est un peu... anxieux. Sans doute n'est-il pas facile de prendre en charge des enfants qui ne sont pas les siens, et qui ont du mal à vous considérer comme leur père.

Elle se saisit sur la table d'un petit peigne de buis qu'elle tritura longuement dans ses doigts nerveux, puis elle soupira :

– Avais-je le choix ? Pendant la grande maladie, « la bosse », disaient les gens d'ici, les brigands profitaient du grand désarroi pour ravager le pays. Nous avons perdu tous les biens qui appartenaient à mon défunt mari. Le château brûla. Un certain temps, j'ai pu vivre et élever mes enfants sur mes biens propres, mais cela ne pouvait durer toute une vie. J'ai épousé le seigneur Alain. Mes terres l'intéressaient : jointes aux siennes, elles représentent un beau domaine... J'espère que nous y retournerons bientôt, dès que la dame de Montmuran sera de retour ici. Nous ne pouvons nous absenter trop longtemps.

Pourquoi lui disait-elle tout cela, à lui, un étranger ? Peut-être parce qu'elle était triste, très triste, pour une raison qu'il ignorait. N'avait-elle pas Mathéa et Réginart ?

Une course sur le chemin de ronde fit résonner sourdement les pierres de la tour. Un instant plus tard, on frappait à la porte.

– Excusez-moi de vous déranger, dame Agnès, mais savez-vous où se trouve le seigneur Alain ?

– Je ne puis vous renseigner, il n'est pas ici Se passe-t-il quelque chose d'important ?

– Oui... un de nos gardes vient d'être assassiné sur la courtine nord.

– Mon Dieu... Une flèche anglaise ?

– Non, un coup de poignard.

14

COURTINE NORD. LE MOT LUI DÉPLUT. N'Y AVAIT-IL PAS PASSÉ UNE PARTIE DE LA SOIRÉE? PAS DE FLÈCHE ANGLAISE. UN COUP DE POIGNARD.

En tout cas, il n'était pour rien dans cette affaire. Pour rien. Par contre..

Mais pourquoi le seigneur Alain aurait-il tué un de ses propres gardes?... Allons! ce n'est pas parce qu'on a occis un écuyer qu'on soupçonne d'œuvrer pour l'ennemi, qu'on est coupable de toutes les morts suspectes du château.

- Qui a nulla le capitaine de la garnison. Qui a fait cela? Il y a un traître dans ce château!

Il entreprit sur-le-champ, et malgré l'heure tardive, un interrogatoire général. Personne ne savait rien. Quelqu'un suggéra qu'il s'agissait peut-être d'une simple bagarre qui avait mal tourné, mais cette thèse ne rallia aucun suffrage: tout le monde associait cette mort à celle de Bredan. Garin songeait aussi qu'elles avaient peut-être effectivement un rapport, mais pas pour les mêmes raisons. Il se sentait un peu malade. Il jeta au seigneur Alain un regard discret, et ce qu'il lut sur son visage, ce fut de l'inquiétude. Ou le seigneur avait tué le garde et il craignait que le capitaine ne le découvre, ou il avait peur d'avoir vraiment vu quelqu'un sur le chemin de ronde, quelqu'un d'autre que le chien, et qui aurait pu à la fois découvrir son secret et tuer le garde.

A ce moment, le seigneur lança au capitaine Briselance :

- Je vous l'ai dit : je l'ai vu, ce garde, certainement très peu de temps avant sa mort. Il venait par la courtine est, où je l'ai croisé en quittant le chancelier. Il n'y avait personne d'autre, de ce côté. Celui qui l'a tué ne pouvait donc venir que du donjon.

Garin surveillait toutes les expressions du seigneur, mais pas une fois celui-ci n'eut un regard pour lui : il ne le soupçonnait donc pas d'être le rôdeur des courtines. Le rôdeur des courtines... joli surnom. Il aurait pu s'en servir pour s'imaginer une nouvelle histoire, mais l'heure n'était vraiment pas à la dispersion.

Garin passa une nuit agitée. Au petit matin, il mangea seul, dans la cuisine, une tranche de pain à la compote.

Étant donné la défiance qui régnait partout, mieux valait se tenir loin de l'agitation. Il gagna le chemin de ronde et, de là-haut, il observa le château. Pourquoi le garde était-il mort ?

En bas, dans la cour, il aperçut la silhouette de Mathéa, qui se dirigeait vers la tour nord-est où l'on soignait les blessés. Si elle l'avait vu sur la courtine la veille au soir... Mais si elle l'avait vu, c'est qu'elle y était elle aussi, après tout ! Pouvait-elle être pour quelque chose dans... non, oh non ! Le garde en armes pesait deux fois plus qu'elle, on ne voyait pas comment...

Garin traversa la salle de guet du donjon au moment où deux sergents en sortaient pour se poster sur le chemin de ronde : c'est vrai qu'il faisait bon au soleil. Il gagna distraitement l'autre courtine, et demeura pensif, à observer le moutonnement continu des arbres. D'ici, on aurait cru à une immense forêt, et pourtant, il n'en était rien ; il le savait parfaitement, pour avoir traversé les champs et passé les haies.

Le ciel était tourmenté, avec des petits bouts de bleu entre les nuages blancs et gris qui se couraient après. Quand le soleil arrivait à se frayer un passage, il faisait presque chaud.

Un sifflement à son oreille le fit sursauter. Il regarda autour de lui, avec une très légère inquiétude. Ce sifflement lui évoquait quelque chose, il ne savait pas quoi. Quelque chose de... menaçant.

Il ne remarqua rien d'anormal. En bas, dans la cour, il crut reconnaître le dos du capitaine, qui disparaissait rapidement dans la forge... ou plutôt qui semblait s'y précipiter. Cela lui parut bizarre, mais tout lui paraissait bizarre chez Briselance. C'était un anxieux. Un anxieux dangereux. Du côté de la campagne, tout était calme. Il ne pouvait voir la flèche qui venait de se planter dans un buisson.

Voilà que soudain, il avait envie de repartir. Le monde était grand, et ici, l'atmosphère devenait détestable. Il sentait en permanence comme une menace. Et puis, il craignait qu'il n'y ait pas vraiment de damoiselle à sauver... ou, du moins, pas dont il puisse ainsi gagner le cœur.

Mais après tout, on n'était sûr de rien. La damoiselle Mathéa aurait-elle besoin d'être sauvée ? De quoi ?

Si au moins son beau-père la séquestrait tout en haut de la plus haute tour. On n'y accéderait que par une échelle de corde. Il n'aurait pas le vertige, car il ne penserait qu'à sa mission... Non, il vaudrait mieux qu'elle soit séquestrée dans une grotte... A moins que le maître mot dont avait parlé le vieux Simon puisse venir à bout du vertige.

– A quoi songez-vous ? demanda Réginart.

– Ouh ! Vous m'avez fait peur. Je ne vous avais pas entendu venir.

– Vous étiez perdu dans vos pensées ?

– Je m'interrogeais sur mon maître mot.

– Ça ressemble à quoi, un maître mot ?

– Si je le savais...! Simon dit que c'est à chacun de trouver le sien. Et quand on l'a trouvé, il vous protège de tout.

– De tout ? Même des sortilèges ?

– Pourquoi ? Vous avez été victime d'un sortilège ?

– Moi non, mais le prisonnier.

Garin resta un moment sans voix.

– Ah ! soupira-t-il enfin, vous ne m'aurez pas. Vous savez très bien que je n'ignore pas comment le prisonnier est sorti de sa geôle.

Réginart eut un petit rire malin.

– Comment trouve-t-on son maître mot ? s'intéressa-t-il.

– Je ne sais pas… ça doit être un mot important, qui tient sans doute à ce qu'on aime, ou à ce dont on rêve. Qu'aimez-vous ?

– Les crêpes.

– Oui… Ça m'étonnerait qu'il puisse y avoir « crêpes » dans un maître mot.

– Ça serait plutôt un maître queux*.

– Que racontez-vous ? Ça n'a ni queue ni tête.

– Évidemment, vous avez déjà vu une crêpe avec une tête ?

– J'en ai vu qui avaient de drôle de têtes.

– Tête ! s'exclama Réginart. C'est un mot important. Cela ne pourrait-il pas faire partie du maître mot ?

– Du vôtre, ça se peut, dit Garin. Je ne le sens pas dans le mien.

Il y avait peut-être « princesse » ou « délivrer » dans son maître mot, mais il ne voulait pas risquer de se ridiculiser en le révélant. Et puis non, c'était trop bête, des rêves… Non, un maître mot, c'était autre chose, mais quoi ?

– Une troupe à cheval, dit Réginart.

– Oui, peut-être « cheval »…

– Mais non ! Je vous dis que voilà des gens d'armes, à cheval !

Garin se pencha par-dessus les créneaux. C'étaient des sergents du château, il les reconnaissait. Un homme cria que le convoi de bœufs qu'ils escortaient s'était fait attaquer par les Anglais. Les maudits avaient emmené toutes les bêtes, et blessé deux des gardes.

Garin et Réginart descendirent. Naturellement, le seigneur

---

* Un maître queux est un cuisinier

Alain était furieux. On allait d'ennuis en malheurs, depuis que Bertrand du Guesclin les avait plantés là, avec moitié moins d'hommes qu'il n'aurait fallu. Mais ce qui l'inquiétait le plus c'était la certitude, maintenant, que les Anglais rôdaient toujours dans les environs.

– Avez-vous pu glaner quelques informations ? demanda-t-il. Quelle est la situation de Jeanne de Penthièvre ?

– Son mari, Charles de Blois, a bien été libéré sur parole par les Anglais pour rassembler sa rançon, mais il n'y parvient pas.

– Naturellement, une telle rançon, grogna sire Alain, c'est impossible. Il sera obligé de se laisser de nouveau emprisonner... Ah ! si nous avions pu capturer un personnage de même importance, du parti de Jean de Montfort, ou un proche du roi Édouard III lui-même, nous aurions pu faire un échange de prisonniers... Et dire que...

... Et dire qu'ils avaient cru tenir le fils du duc de Lancastre. Voilà qui aurait résolu tous les problèmes !

Garin détourna les yeux, ce n'était tout de même pas de sa faute, si le prisonnier avait menti ! Et puis de toute façon, il s'était échappé, alors à quoi bon avoir des regrets ? Malgré tout, cette histoire lui laissait une épine au cœur. Bon, Geoffroy était l'ami de Mathéa, il ne pouvait pas s'en vouloir de lui avoir sauvé la vie, même s'il n'en gardait que de l'amertume.

– S'il n'y avait que les Anglais ! s'emporta le capitaine. Au moins eux, on sait qui ils sont. Mais un garde est mort ici. Et pas d'une flèche anglaise ! Si nous avons un traître en nos murs...

Garin fit quelques pas nonchalants pour s'éloigner. Le capitaine avait regardé de son côté, il n'y avait pas à en douter. Il fit semblant de ne s'être aperçu de rien, et se dirigea vers la fontaine. Le capitaine n'était pas homme à s'embarrasser de scrupules. Sécurité avant tout. La culpabilité n'avait pas besoin d'être prouvée, et le puits était profond, non ?

- Savez-vous la devise que porte le blason de messire du Guesclin ? demanda Réginart en s'asseyant auprès de lui.

Garin fit un geste négatif.

– *Le courage donne ce que la beauté refuse*. Moi, ça me plaît.

Garin ne répondit pas.

– C'est bien trouvé, reprit l'enfant. Quand on est aussi laid que messire du Guesclin...

Il vit que Garin n'écoutait rien.

– Vous avez des soucis, dit-il du ton de la simple constatation.

– Oh ! C'est sans importance, je vais être expulsé de ce château, c'est tout ! Et tout ça à cause de ce maudit prisonnier, dont je me moque éperdument, et de ce garde que je n'ai jamais vu.

Expulsé... c'était le moins, mais il préférait croire qu'on s'en tiendrait là.

– Vous ne pouvez être expulsé, raisonna Réginart, vous avez été engagé par la dame de Montmuran, vous devez attendre son retour. Vous serez peut-être seulement emprisonné.

– Vous me rassurez, ironisa Garin.

– La prison d'ici n'est pas épouvantable. Le cachot est plutôt propre, et j'irai vous parler de temps en temps.

– C'est gentil à vous, observa Garin.

– Le mieux, reprit Réginart, c'est que vous vous fassiez oublier. Demeurez dans des endroits discrets.

Garin resta songeur. Des endroits discrets...!

– ... Mais vous! s'exclama-t-il soudain, vous savez bien que je ne suis pour rien dans cette histoire, puisque vous connaissez ce prisonnier mieux que moi!

– Je ne sais rien du tout, répliqua Réginart. Je ne connaissais pas ce prisonnier, qui était un Anglais, sans doute un espion, et qui s'est échappé on ne sait comment.

Garin regarda fixement le garçon... Oui, bien sûr, que pouvait-il dire d'autre? On ne voyait pas pourquoi il aurait révélé que le prisonnier s'appelait Geoffroy, et qu'il n'était là que pour les beaux yeux de Mathéa, contre la volonté du seigneur Alain évidemment!

– Il est ici! cria un sergent.

Garin redressa la tête. C'était lui qu'on désignait. Aussitôt, le capitaine de la garnison fut là.

– Toi, le dénommé Garin, tu as interdiction formelle à partir de ce jour de quitter le château. Nous aviserons de ton sort dès l'arrivée de la dame de Montmuran. Je viens de donner des ordres pour mettre ce château en état de siège, car il n'y a plus aucun doute: ce prisonnier était un espion. Il s'est échappé avec une complicité. Et ce complice a certainement un rapport avec la mort de mon garde. Je suis absolument sûr de tous mes hommes. Toi – il désignait Garin du bout de son poignard –, tu es le seul étranger au château, et tu as été capturé en même temps que lui.

Sans attention pour le signe de dénégation véhémente de Garin, il reprit:

– Les Anglais vont savoir que ce château possède en ce moment une garnison insuffisante. Sache que je vais rappeler d'urgence les sergents qui ont accompagné la dame à Pontorson, et que tes manigances n'auront servi à rien... Et ce ne sera pas toi qui écriras la missive; tu n'auras pas l'occasion d'y glisser traîtreusement des renseignements

– Vous vous trompez sur tout! protesta Garin. Je ne suis qu'un simple scribe. Je n'ai jamais pris parti dans cette guerre.

– Si c'est le cas, aboya le capitaine, il n'y a pas de quoi en être fier!

Que pouvait-on répondre à cela?

– Vous, messire Réginart, continua Briselance d'un ton sec, je ne saurais trop vous conseiller de vous tenir à l'écart de ce garçon, tant que cette affaire n'est pas éclaircie.

Le mot « bouclier » se présenta brusquement à l'esprit de Garin. Faisait-il partie de son maître mot, ou témoignait-il seulement de son envie de se protéger?

Briselance s'éloigna – il avait des mesures urgentes à prendre – tandis que Réginart se relevait.

– Ne vous inquiétez pas, dit-il, ça s'arrangera sûrement

– Hum...

– Et personne ne m'empêchera de vous parler. Gardez courage.

Courage. « Le courage donne ce que la beauté refuse.

Il devrait aussi se trouver une devise. Il voulut y réfléchir, mais sur le moment, il ne lui venait que des devises de circonstance, pas forcément très glorieuses... Par exemple: « Tourne la tête quand l'orage t'arrive en pleine figure... » Bah! Une devise trop glorieuse a vite fait de vous coûter la vie. Il mettrait dans son blason de la couleur sable – qui est signe de prudence...

15

GARIN N'AVAIT PAS BOUGÉ DE LA
FONTAINE. IL N'ARRIVAIT MÊME PLUS
À PENSER À SON FUTUR BLASON.
La situation était tellement angoissante... Qu'est-ce
qui l'empêchait de révéler au seigneur Alain ce qu'il
savait de Geoffroy ?

Hum... Il n'en serait pas fier... et le croirait-on ? En dernier
recours, si sa vie menaçait de se terminer au bout d'une corde, il
serait peut-être obligé d'y venir... mais il espérait que Mathéa et
Réginart ne le laisseraient pas finir ainsi.

Et puis, qu'est-ce que cette histoire d'amour avait à voir avec
la mort du garde ? Une révélation sur Geoffroy le disculperait-
elle de tout ?

Garin leva la tête. Mathéa venait d'apparaître dans la cour.
Elle ne le vit pas, elle ne pouvait pas le voir ; lui ne la quittait
pas des yeux. C'était à cause d'elle, qu'il en était là.

Elle entra dans la tour nord-est. Ce n'était pas la première fois.
Que pouvait-elle donc y faire ? Il n'y avait là que des soldats

blessés au rez-de-chaussée transformé en hôpital, et l'atelier de tissage au-dessus.

Malgré ses soucis, ou peut-être à cause d'eux, Garin sauta sur ses pieds. Cela tombait à point : il n'avait pas fait l'inventaire de l'atelier de tissage, il fallait courir immédiatement chercher son écritoire. Il songea bien, vaguement, que cette activité pouvait passer pour de l'espionnage, mais il faudrait encore le prouver ! Bon. Ne pas y penser.

Dans la pièce du bas de la tour, l'odeur était franchement détestable. Bien sûr, les blessures de la bagarre avec les Anglais cicatrisaient, mais les blessés n'étaient pas encore assez vaillants pour qu'on les envoie se laver au ruisseau. Sans compter que s'ajoutait à cela un vague relent de pus et de charpie souillée.

Le regard de Garin fit le tour de la salle : juste une servante.

– Damoiselle Mathéa n'est pas là ?

– Elle vient de monter.

D'un pas décidé, Garin prit l'escalier.

En ouvrant la porte de l'étage, il resta stupéfait : il s'attendait au monde bruyant des métiers à tisser qui claquaient en cadence, à la musique des rouets qui brassaient l'air en grinçant... L'atelier était désert, hormis deux petites filles, qui montaient une chaîne sur un métier tout neuf. En tout cas, pas de Mathéa.

Garin prit son air affairé.

– Je fais l'inventaire, annonça-t-il. Il y a donc ici... quatre métiers à tisser

– Avec deux chaînes de deux mille fils, commenta une petite, une de mille cinq cents, et une de trois mille.

Garin ne savait pas si cela devait faire partie de l'inventaire. Par contre, les six rouets...

– Est-ce que vous comptez aussi les aiguilles ? plaisanta l'autre fille.

– Les navettes ?

– Nos chemises ?

– Mais personne ne travaille-t-il donc aujourd'hui ? demanda-t-il enfin pour couper court aux inepties et pouvoir enfin en venir vraiment à ce qui l'intéressait.

– Tout le monde est requis pour chercher des pierres dans la campagne. On a besoin de projectiles, à ce qu'il paraît. Il est même question de fabriquer une catapulte. Moi, je n'en ai jamais vu. Croyez-vous que le château risque vraiment d'être attaqué ?

– Je suis scribe, pas devin, les bavardes. J'aurais voulu poser une question à la damoiselle Mathéa. Elle n'est pas entrée ici ?

– Non.

– Pourtant, elle n'est pas en bas.

– Alors, c'est qu'elle est en haut ! s'exclama une des fillettes sur le ton rythmé d'une chanson.

Puis elles pouffèrent toutes les deux, et se mirent à fredonner ·

– Ce qui n'est pas en bas est en haut, ce qui n'est pas en haut est en bas.

En haut ? Qu'y avait-il au-dessus ? Un grenier, non ? Qu'est-ce que Mathéa pouvait bien faire dans un grenier ? Garin rangea sa plume et, laissant les petites à leur chanson, rejoignit l'escalier.

On ne pouvait pas monter davantage : l'escalier finissait à cet étage. Il s'engouffrait droit dans une pièce sombre, sans porte, éclairée seulement par des archères. Ici, c'était bien un grenier. Un vrai grenier, avec ses monceaux d'objets hétéroclites, dans des positions invraisemblables.

Garin s'était préparé à sortir sa plume pour se donner une contenance, mais pour tromper qui ? Il n'y avait pas âme qui vive, dans ce grenier !

Si... deux yeux curieusement fendus le fixaient, un regard impressionnant. Le chat. Le chat du vieux sorcier...

Allons, pourquoi disait-il « sorcier » soudain ?

Pfff... Il recula un peu. Ces bêtes n'étaient-elles pas dangereuses ? Et puis... comment ce chat se trouvait-il ici ? Un chat dans le grenier ! Il regarda autour de lui avec appréhension. Impossible de se défaire des préjugés défavorables, qui attribuaient à cet animal sinistre le mauvais œil. Bête de mort...

Il ne se trompait pas : il n'y avait aucune communication entre la chambre du vieux, au-dessus, et cette pièce...

Il demeura bouche bée... Une trappe venait de s'ouvrir dans le plafond. Là-bas, l'échelle, elle n'était pas là au rebut comme il l'avait cru, elle donnait accès à la trappe.

Une robe verte.

Mathéa n'aperçut Garin qu'en posant le pied sur le sol. Un court instant, elle eut l'air sidérée de le trouver là. Garin aurait dû annoncer sur-le-champ qu'il remplissait son éternelle mission, mais la stupéfaction lui avait ôté toute présence d'esprit.

– Vous faites l'inventaire? s'enquit alors Mathéa, d'un ton seulement interrogatif.

– Je... je ne savais pas que ce grenier communiquait avec...

Sans le nommer, il désigna de l'index levé la pièce du dessus.

– Personne ne passe par là, dit Mathéa, que moi. Je vous en prie, n'en dites rien à mon père!

Garin eut juste un geste, signifiant que cette affaire ne le concernait aucunement. La jeune fille alors reprit d'un ton plus bas:

– Mon père ne serait pas content que j'aille voir le vieux chancelier.

– Non?

– Vous comprenez, je voudrais avoir des nouvelles de Geoffroy.

– Vous ne savez pas où il est?

– Simon a beaucoup de pouvoir, il peut nous aider.

Garin crut comprendre ce qu'elle voulait dire. Il avait déjà entendu parler de ce genre de pouvoir; il suffit de fermer les yeux, et de se concentrer très fort pour voir apparaître l'image d'une personne, et alors on peut savoir où elle se trouve.

Lui, il n'y était jamais parvenu. Il fallait certainement pour cela une force d'attention dont il se révélait incapable. Mais... Mathéa savait-elle que le seigneur Alain aussi fréquentait le vieux Simon?

– Damoiselle Mathéa, vous n'avez pas peur que le chancelier vous trahisse, qu'il dise tout à votre père?

– Il n'y a rien à craindre de lui... du moins, pas ce genre de choses. Quelquefois, c'est vrai, il m'impressionne. Au début, j'avais même très peur. Mais l'an dernier, nous avons déjà fait un séjour ici, et c'est lui qui a soigné une vilaine blessure que je m'étais faite au pied. Depuis, je ne le crains plus. S'il est terrifiant parfois, c'est à cause de ce qu'il annonce, le malheur sur le monde. Lui-même, il est inoffensif.

– Il... vous est favorable... pour Geoffroy?

Garin avait du mal à prononcer ce nom.

Mathéa eut un vague sourire.

– Il n'est favorable à rien, ni défavorable. Si vous voulez le fond de ma pensée: je crois qu'il se moque de tout. Il est indifférent aux petites choses de ce monde, trop indifférent pour faire du mal. Il veut bien m'aider, puisque je le lui demande, mais cela ne veut pas dire qu'il prend parti pour moi... Et vous? demanda-t-elle avec un peu d'appréhension.

– Moi? dit Garin en faisant taire le petit pincement qu'il sentait au cœur, ce ne sont pas mes affaires.

– Pourtant, reprit Mathéa, il semble que vous vous intéressiez beaucoup à la vie de ce château.

Son regard sema la perturbation chez Garin. Quand il le croisait, il n'arrivait même plus à plaisanter, ni même à répondre de façon cohérente. Et pourtant là, il aurait fallu...

– Vous étiez sur la courtine nord, hier au soir, insista la jeune fille.

– Si vous le savez... bougonna Garin un peu fâché avec lui-même.

– Je le sais, dit Mathéa. Ma mère le sait aussi, puisqu'elle vous a vu descendre l'escalier du donjon.

– Vous croyez donc que j'ai tué le garde ?

– Non. Nous ne le croyons ni l'une ni l'autre, répliqua la jeune fille d'un ton sérieux.

– C'est comme moi, dit Garin, je sais que vous étiez aussi là-haut, et je ne crois pas que vous ayez tué le garde.

Mathéa lui adressa un regard surpris, puis elle se mit à rire. Ah ! Comme Garin se sentait mieux maintenant ! Il riait aussi.

– Vous avez appris des choses intéressantes, au moins ? interrogea Mathéa.

– J'ai appris que le seigneur Alain n'est pas votre père.

– Cela, dit Mathéa, n'est pas un secret, tout le monde le sait. Mon vrai père, voyez-vous, Pierre de Crahan, est mort quand j'avais cinq ans, devant les remparts de Vannes, d'une flèche française. Aujourd'hui... aujourd'hui c'est terrible, je n'arrive plus à voir son visage. Il n'est plus qu'un nom, et un sentiment de chaleur.

– C'est déjà beaucoup, dit Garin à qui le nom de son père n'évoquait aucune chaleur.

Mathéa sourit avec tant de tristesse que Garin se jura de nouveau de la sauver... De la sauver de quoi, pauvre sot ?

– Il nous restait Bredan, dit-elle. C'est lui qui le remplaçait un peu.

Garin songea que, s'il ne s'était pas trouvé sur la courtine hier au soir, c'est peut-être Mathéa qui aurait entendu les paroles du seigneur Alain.

– Cela fait longtemps, demanda-t-il pour s'empêcher de révéler ce qu'il savait, que vous connaissez Geoffroy ?

– Il était le fils de notre plus proche voisin.

Combien d'années ? Elle ne le dit pas. Elle avait pris un ton rêveur, qui ramena Garin sur terre. Il était évident qu'elle éprouvait pour Geoffroy de tendres sentiments, et lui... Pauvre idiot ! Tu n'as, de toute façon, jamais eu aucune chance !

Son regard tomba sur le chat qui, assis sur un vieux dressoir, les observait de ses yeux fixes. Un moment, il eut l'impression qu'il les espionnait. Cette bête comprenait-elle ce qu'ils disaient ?

– Excusez-moi, dit Mathéa, mais il faut que je redescende... que personne n'ait le temps de s'inquiéter de mon absence.

Elle se dirigea vers l'escalier et, avant de disparaître, mit son doigt sur sa bouche pour recommander à Garin le silence.

Un moment le garçon demeura immobile, le cœur un peu serré. Quoi qu'il puisse dire pour se raisonner, chaque fois qu'elle lui adressait un regard, il se sentait les jambes toutes molles. Il fallait que cela cesse car, au fond de lui, il lui en voulait quand même, de tout : d'être jolie et de ne pas le regarder, de s'intéresser à un autre, de l'avoir mis en difficulté..

Pfff...

Il redescendit dans la cour, d'un pas fatigué, sans avoir achevé son inventaire, et retourna s'asseoir près de la fontaine, à la même place et dans la même position que tout à l'heure, essayant avec une volonté farouche de retrouver sa préoccupation antérieure. La même place, la même position l'y aideraient.

Ah oui! Le blason! Il voulait se trouver un blason.

Il faudrait dessiner... Malheureusement, il n'avait pas remis sa tablette de cire dans son écritoire.

Il se relevait lorsqu'il s'aperçut qu'un palefrenier était en train de suspendre un pantin bourré de paille à la potence, au centre de la cour. D'autres sortaient les chevaux: on allait donc s'entraîner à la quintaine, à charger à la lance un homme de paille, pour être en mesure ensuite de s'attaquer à des hommes de chair et de sang.

Était-ce pour Réginart? A onze ans, un seigneur doit apprendre à se battre, c'est normal, sinon qui les protégerait, eux, pauvres manants?

Garin eut un sourire amer. Ce qui les protégeait, eux, pauvres manants?... La souplesse. La faculté d'esquiver les coups.

Justement Réginart venait à réapparaître dans la cour, une lance de bois à la main, et le corps protégé par un épais gilet. Il portait, jeté sur son épaule, un vêtement de mailles de fer, sans doute un haubert. En existait-il un à sa taille?

A ce moment, le forgeron sortit d'une remise en poussant devant lui, le balançant de gauche et de droite, un tonneau.

– C'est ici, messire Réginart ! cria-t-il.

Le garçon se dirigea vers lui. Il regarda dans le tonneau puis, dégageant le haubert de son épaule, le donna au forgeron.

– Il n'est pas en trop mauvais état, constata celui-ci, mais je ne peux en réparer les mailles avant qu'elles ne soient nettes.

Il glissa le haubert dans le tonneau.

– Regardez, poursuivit le forgeron, il vous suffit de fermer le tonneau comme ça... Voilà... Et maintenant, vous le roulez, de manière à ce que les mailles soient frottées dans le son. Ça enlève toute la rouille, vous verrez.

Réginart donna un coup du plat de la main sur le tonneau, le renversa avec quelque peine, et entreprit de le rouler vers Garin.

– Voulez-vous que je vous aide ? demanda celui-ci.

– Non point. Mon père, le seigneur Alain, n'aimerait pas cela.

Réginart passa derrière la fontaine puis, tournant la tête, il proposa :

– Vous devriez peut-être aider à faire des flèches, à remettre les carquois en état, ou à aiguiser les fers de lance, cela pourrait...

– Nullement ! cria la voix du capitaine Briselance, il serait capable de nous les saboter.

Garin en fut tout révolté. Les saboter ! Il darda des yeux furieux sur le capitaine. Oh ! Et puis qu'ils se débrouillent tout seuls, avec leur guerre !

Il se leva. Il ne s'occuperait aucunement de ces satanés prépa-ratifs de bataille, il ne s'occuperait plus que de ses propres affaires. Il se trouverait un blason. Le mieux serait de faire quelques essais de dessin sur sa tablette de cire. Quand tout va mal, il faut s'attacher à une idée nouvelle qui n'a rien à voir avec votre situation.

Il monta à sa chambre, tout en commençant à se représenter dans sa tête quelques images fortes. Un lion? Une belette? Un lévrier? Un faucon? Un lézard? Un ver de terre? Il sourit.

Sa tablette. On y voyait encore le croquis du pont-levis et, dans le coin, un début de plan du château. Il la lissa distraitement, puis commença à dessiner la forme extérieure du blason.

Pfff... Il ferait peut-être bien d'essayer de fuir ce château avant que les choses ne se gâtent complètement, mais comment? S'il avait au moins pu découvrir l'entrée de ce maudit souterrain... Hélas! personne n'avait voulu le renseigner.

Le vieux! Le vieux voudrait bien! Le vieux se moquait de tout!

Il faisait presque nuit, il fallait y aller tout de suite. Garin quitta sa chambre, monta l'escalier et s'en fut en courant par le haut des courtines. Les sergents de garde ne lui firent aucune remarque, mais il sentit leur regard soupçonneux qui le suivit.

Sur la courtine nord, il s'arrêta brusquement. Une ombre, sur le chemin de ronde, une ombre tapie. Elle fit un bond, qui figea net Garin puis elle émit un grognement mauvais et bondit encore.

En un éclair, Garin avait fait demi-tour. Déjà, il était dans le haut du donjon.

– Là... cria-t-il d'une voix angoissée aux hommes de garde.

– Quoi?

– Un...

Non, pas un chien, cette fois. Un... un quoi?

– Un... une ombre, qui m'a attaqué.

– Je ne vois rien! rétorqua un garde avec méfiance. Tu as trop d'imagination.

Imagination? Oh non! Garin avait bien vu. Par contre, dire ce qu'il avait vu, il s'en sentait incapable. Ce n'était pas très loin de la porte du vieux Simon. Le vieux... Sorcellerie... Les sorciers pouvaient se transformer en animal, ils le pouvaient!

Il ne sut comment il avait regagné sa chambre. La main tremblante, il se remit à son blason. Mais rien n'allait, l'ombre n'arrêtait pas de bondir sur le blason. Il se rendit compte qu'il était en train de dessiner des empreintes de pattes... de pattes de quoi? De chien?

Et les chats... A quoi ressemblaient leurs empreintes? Et si c'était cela, qu'il avait involontairement dessiné?

Un sorcier. Un chat... Le diable était leur maître...

La nouvelle le prit dans la même position. Il s'était endormi.

– Messire Alain! criait-on sur les courtines. Messire Alain! Le capitaine! Le capitaine Briselance est mort! Assassiné! Son corps jeté dans la cour, au pied de la courtine nord.

Courtine nord? Le capitaine de la garnison? « Oh saint Garin, protégez-moi! pria aussitôt Garin en glissant son pouce droit dans son oreille. Oh! saint Garin, protégez-moi. »

16

– GARIN! GARIN! OUVREZ VITE! C'ÉTAIT RÉGINART. ET LA PORTE N'ÉTAIT PAS FERMÉE. IL ENTRA.

– Le capitaine de la garnison a été assassiné d'un coup de poignard. Une lame très fine, un perce-mailles sans doute, qui a traversé son surcot et est passée entre les mailles de son haubert. Il faut vous cacher.

– Mais je n'y suis pour rien!

– Je m'en doute, mais des gardes vous ont vu. Ils ont dit que vous avez prétendu avoir été attaqué par une ombre, pour détourner leur attention.

Deux assassinats sur la courtine nord, et par deux fois, il y était! Le sort s'acharnait donc sur lui!

– En plus, enfonça Réginart, c'est vous que le capitaine de la garnison soupçonnait d'avoir fait évader le prisonnier. De là à penser que vous êtes un traître, et que vous avez donc tué le garde, et puis ensuite le capitaine pour vous protéger...

Le garçon avait raison. Oh! Il fallait bien que ce genre d'histoire tombe sur lui! «Je vous en prie, saint Garin, ne me lâchez pas, je vous promets de ne plus mentir pendant une semaine entière...» Oui, saint Garin veillerait sur lui, et saint Garin veillait d'autant mieux qu'on ne s'affolait pas.

– Il faut que je me cache, dit-il, pouvez-vous m'aider?

– Pour quoi croyez-vous que je sois là? Vite! J'entends des pas. On ne peut plus descendre, il faut monter.

Ils s'engouffrèrent en courant dans l'escalier de la tour

– Par ici.. traversons la chambre des femmes

Où Réginart l'emmenait-il?

– Mère, ne dites pas que vous nous avez vus, s'il vous plaît

La dame leva la tête de son ouvrage. Mathéa, qui disposait des pions sur un échiquier, se retourna.

Ni l'une ni l'autre ne prononça une parole. Les deux garçons traversèrent la chambre et redescendirent par l'autre tour.

Ils se retrouvèrent miraculeusement indemnes dans la vaste pièce où on entreposait les réserves de nourriture, celle où s'ouvrait ce fameux puits si inquiétant.

Essoufflés, ils se dissimulèrent derrière deux gros tonneaux de mélasse.

– Ne craignez rien, dit Réginart, ma mère et ma sœur ne parleront pas.

Garin était moins sûr que lui des dames du château.

– Pourquoi m'aideraient-elles? demanda-t-il avec méfiance.

Réginart lui lança un drôle de regard.

– Vous l'ignorez? ... D'abord, parce qu'elles savent que vous n'avez rien à voir avec le prisonnier, et qu'elles n'ont donc pas de raison de croire que vous avez assassiné les gardes, et surtout..

– Surtout?

– Vous savez beaucoup de choses, concernant le prisonnier, et si mon père, le seigneur Alain, vous soumettait à la torture, vous ne sauriez le cacher...

Garin sentit un frisson le parcourir.

– Restez ici sans bouger! reprit Réginart. Je vais prévenir Gillette.

– Vous êtes fou! Elle peut me dénoncer!

Réginart haussa les épaules.

– Gillette ne dénoncera personne. Elle n'appartient pas à ce château. C'est *notre* cuisinière. Celle de *ma* famille.

– Vous êtes sûr d'elle?

– Elle est la fille de la nourrice de Mathéa. Elles ont été élevées ensemble.

– Elle ne m'en a rien dit! observa Garin, vexé. J'ai même eu l'impression qu'elle vous connaissait à peine.

– Vous voyez! Gillette est discrète, vous n'avez rien à craindre.

Réginart sortit, pour revenir bientôt avec la cuisinière. Ils discutaient à voix basse, et Garin s'aperçut avec étonnement qu'ils parlaient en breton. Sans qu'il sache pourquoi, cela lui laissa une impression de malaise.

– Restez caché ici, conseilla Gillette tandis que Réginart disparaissait promptement. Les tonneaux de mélasse. c'est le mieux : nous en avons un presque plein aux cuisines, et nous ne viendrons pas en chercher un autre de sitôt.

– Et si le seigneur Alain fait fouiller tout le château ?

– Il ne passera pas par cette porte ! dit-elle en montrant le fond de la pièce. Je vais la fermer tout de suite. Je dirai que c'est pour que les gardes ne se laissent pas tenter par les tonneaux d'hydromel.

Sur ces mots, elle s'éloigna vers le fond de la pièce, et tourna prestement la clé.

– S'il vient par l'autre côté, reprit-elle en se rapprochant, je vous préviendrai : trois coups de louche sur la grosse marmite. Quand elle est vide, elle résonne comme une cloche. On croira que je veux simplement en décoller ce qui a attaché au fond. En plus, avec le bruit, on vous entendra encore moins.

– On m'entendra encore moins faire quoi ?

– Ben... fuir.

– Fuir par où ? Si je sors par la seule porte, je tombe dans la salle d'entrée, belle discrétion !

– Mais non, êtes-vous sot, par le souterrain !

Garin la considéra avec des yeux ronds. Souterrain ?

La cuisinière eut un petit rire.

– Ce n'est plus un secret, depuis qu'on l'a retrouvé débouché. Il serait difficile de ne pas en voir l'entrée.

Garin regarda vivement autour de lui.

– Où?

– Là! dit Gillette.

Elle désignait le puits.

– Il faut sauter dans le puits? s'effraya Garin.

– Mais non, regardez.

Elle décrocha une torche et la passa dans la niche obscure. Garin y jeta un coup d'œil circonspect : c'était évident, sur sa droite, en contrebas, un trou assez grand s'ouvrait dans le flanc du puits. Le vertige le saisit.

– Je ne pourrai jamais atteindre cette ouverture sans tomber dans le fond!

– C'est impressionnant comme ça, dit Gillette, mais voyez, il y a des creux dans les parois, pour y poser des poutres et faire ainsi un appui.

– Faisons-le tout de suite. Mettons les poutres. Si je suis surpris, je n'en aurai jamais le temps. Il vaut mieux que je file par là immédiatement.

Il songea avec un pincement au cœur à son écritoire, qui était restée là-haut, mais sa vie était plus importante que son écritoire. Gillette ne semblait pas séduite par son projet, ni pressée de lui trouver les bonnes planches.

– ... Il vaut mieux que vous restiez là, dit-elle enfin.

– Hein... Pourquoi?

– Parce que Réginart me l'a demandé.

– Réginart? Pour quelle raison?

– Pour la raison... que vous connaissez bien le pays.

Pour la raison qu'il connaissait bien le pays? Eh!... Il voulait demander ce que cela signifiait, mais Gillette avait déjà filé.

Il comprenait de moins en moins ce qui lui arrivait.

– Bois! conseilla Gillette, le meilleur est au fond.

– J'ai l'estomac noué! grogna Garin.

– Dénouez-le. Messire Alain a autre chose à faire que de fouiller le château pour vous trouver, en ce moment.

– Ce n'est pas que j'aie peur, c'est que je déteste être retenu prisonnier contre mon gré. Je veux m'en aller, là, m'en aller!

– Chchch... Qu'est-ce que c'est que ça?

Au loin on entendit des paroles venant des cuisines. Gillette s'éclipsa.

– Mais qu'est-ce que vous voulez? demanda une voix de femme.

– On fouille.

– Fouiller quoi? On n'est que deux, ici : Gillette et moi. Tous les autres sont à la fabrication de la poudre à canon.

– On le sait. On a transporté nous-mêmes le salpêtre pour la fabriquer, et même le soufre et le charbon. Maintenant, on cherche le traître.

– Si vous n'avez rien de mieux à faire, dit Gillette.

Et elle se mit à taper énergiquement sur son chaudron.

... Les planches! Les planches! Il n'en avait pas! Maudit Réginart, maudite cuisinière! Un instant, Garin se demanda s'il n'allait pas sauter depuis le rebord... non, impossible.

Où? Mais alors où se cacher? Il se colla au mur, rampa derrière des sacs de fèves. La poussière lui donna envie d'éternuer. Il entendait du remue-ménage dans les cuisines. Ça approchait. Ça approchait.

Il s'aplatit encore plus et rentra son ventre, comme si ça pouvait le faire disparaître totalement. Entre deux sacs, il aperçut le visage de celui qui entrait : c'était un vieux. On envoyait à sa recherche les inutiles, ceux qui n'avaient plus d'assez bons yeux pour guetter, ni de force pour manier l'épée.

Le cœur de Garin battait à se rompre. Comment était-il possible qu'ils ne l'entendent pas ? Deux vieux. Pourrait-il les assommer ? Il n'avait même pas un bâton. Et ensuite... les planches... avoir le temps de fuir sans se faire repérer par l'autre cuisinière... Saint Garin venez à mon aide... Ah ! Si je connaissais mon maître mot, je pourrais me dissoudre sur place, et réapparaître hors des murs du château. Bouclier... Bouclier figurait sûrement dans son maître mot... Quoi d'autre ?

– Il ne peut pas être là, dit un homme, ou sinon, il aurait déjà filé par le souterrain.

Ils se penchèrent au-dessus de l'eau :

– Ou il a réussi, et c'est trop tard...

– Ou il est tombé dedans, et c'est fini pour lui.

Ils ressortirent. Merci saint Garin.

En tout cas, garder *bouclier* dans un coin de sa mémoire.

– Vous êtes toujours là ? demanda la voix de Réginart.

– Où voudriez-vous que je sois ? grommela Garin de mauvaise humeur.

Réginart portait un heaume à visière, trop grand pour lui, un haubert qui lui tombait à mi-mollet, et une mentonnière qui ballottait.

– Là-haut, c'est passionnant, annonça-t-il. On est sur le pied de guerre. On a même préparé de la poix, à jeter sur les assaillants, et des boulets de fer. Tous les canons sont pointés. J'ai étudié la question : le château est bien conçu pour la défense, les tours font une saillie suffisante pour que, de chacune, on puisse atteindre n'importe quel assaillant, même s'il y en a un qui est parvenu au pied de la muraille. Quant à la porte, les mâchicoulis sont redoutables.

– Croyez-vous vraiment que le château va être attaqué ? demanda Garin un peu étonné.

Réginart fit une grimace. Il eut une expression très curieuse, que Garin ne sut définir.

– Mon père, le seigneur Alain, dit-il enfin, arme le château pour sa défense, mais je vois qu'il craint autre chose qu'un ennemi bien clair qui donnerait l'assaut.

– Un ennemi intérieur... moi par exemple.

– Vous, par exemple... bien qu'il n'arrive pas bien à comprendre comment vous auriez pu poignarder le capitaine et jeter son corps dans la cour, par-dessus le muret, gringalet comme vous êtes – excusez-moi, c'est ce qu'il a dit.

Réginart se leva, dans un bruit de ferraille qui prêtait à rire, et conclut sérieusement :

– Il faut que j'aille m'entraîner au combat. D'autant que mon père, le seigneur Alain, est d'une humeur de chien, parce qu'un événement a achevé de l'inquiéter.

– Quoi ?

– C'est qu'on a découvert que ..

Réginart prit un drôle d'air, réfléchit un instant puis répéta :

– Il faut que j'aille m'entraîner. Vous, ne bougez pas.

– Évidemment Il paraît que je suis votre prisonnier.

– Pas vraiment, dit Réginart, mais je vous en prie, restez là. Il peut y aller de notre vie à tous.

En quoi leur vie pouvait-elle dépendre d'un scribe enfermé dans une réserve ? Que recouvrait ce « tous » ?

– Je préférerais filer, grogna Garin.

– Attendez un peu, demanda Réginart, ce ne sera pas long.

– Attendre quoi ? Qu'est-ce qui ne sera pas long ?

Réginart parut hésiter :

– Ma sœur, Mathéa. Il faut qu'elle quitte le château, dit-il d'un trait en s'éloignant.

Qu'elle quitte le château ? Pour rejoindre Geoffroy ? Et c'est à lui qu'on demandait cela ?

– Pfff... Sauver une damoiselle... Dans ces conditions, c'était vraiment révoltant.

Bon. Les chevaliers ne doivent pas sauver les damoiselles seulement pour les épouser. Ce serait trop facile ! On ne pourrait pas avoir la moindre admiration pour ce genre d'exploit. Où serait la grandeur d'âme, l'idéal chevaleresque ?

Tout de même, c'était un peu... vexant.

Garin se rencogna dans ses sacs de fèves et tenta de réfléchir, mais rien ne venait. Dès qu'il voulait penser à cette affaire, il revoyait cette ombre, sur les courtines. Une sorte de bête. Il n'avait pas pu rêver, il n'était pas impressionnable à ce point. Et si elle existait vraiment, elle pouvait bien avoir tué le capitaine de la garnison, et avant lui le garde... Mais personne ne voudrait le croire. Et lui-même, à vrai dire, ne comprenait pas bien.

Qui était cette bête ? Guidée par qui ? Si l'ennemi était à l'intérieur, on pouvait s'attendre à tout.

Garin finit par s'assoupir.

Un torticolis le réveilla. Il se sentait raide et endolori de partout. Mais ce n'était pas cela qui l'avait assis d'un coup sur son séant, les yeux grands ouverts : c'était un bruit de planches. Planches. Souterrain. Une ombre devant le puits. Un craquement. Plus personne. Avait-il eu des visions ? Quelqu'un venait-il de filer par le souterrain ?

Il se surprit à claquer des dents. Ce château, décidément, avait quelque chose d'effrayant.

Garin respira profondément. Dans son esprit repassa tout ce qui était arrivé depuis qu'il avait été capturé par erreur. Il se sentit abattu.

Il resta subitement interloqué... Il savait. Il savait ce qu'il y avait d'étrange, dans la conversation de Gillette et de Réginart : ils parlaient en breton. En breton ! alors que ce même Réginart l'avait entraîné lui, Garin Troussebœuf, près du cachot pour – soi-disant – lui traduire ce que Mathéa dirait au prisonnier, et ce que celui-ci répondrait.

Et puis, c'est ce même Réginart – il en était sûr, bien qu'il ne se rappelle plus comment – qui l'avait incité à demander au prisonnier de révéler son nom...

Garin ne put dormir de la nuit. Il n'arrivait pas à comprendre comment tout cela pouvait s'articuler. Il avait l'impression désagréable de s'être fait manœuvrer, non seulement par le prisonnier, mais aussi par Réginart, et finalement, c'est cela qui le tenait éveillé : la colère rentrée.

Mais il était loin de se douter que c'était encore pire que ça.

– C'EST LE PLUS HORRIBLE! S'ÉCRIA LA CUISINIÈRE AU LOIN. LE PLUS HORRIBLE! DES SERGENTS TUÉS, ON PEUT COMPRENDRE, MAIS ÇA!

Garin perçut des bribes de conversation, sans tout saisir. On s'exclamait, on répétait que c'était le comble, pour le seigneur Alain, surtout en l'absence de la dame du château.

Intrigué, impatient, vaguement apeuré, Garin attendit d'autres nouvelles, accompagnant le morceau de pain et de lard que lui apporterait Gillette dès qu'elle serait seule.

– Une chose terrible, annonça la jeune cuisinière. Le tableau, vous savez, celui de la salle seigneuriale, un portrait – même que je n'en avais jamais vu d'autre...

– Celui qui représente un des seigneurs de Tinténiac, précisa rapidement Garin pour faire avancer l'histoire.

– Celui-là. On l'a retrouvé lacéré à coups de poignard. Le seigneur Alain en est tout retourné.

– Ça c'est passé... cette nuit?

Garin pensait à l'ombre, devant le puits.

– Non, hier au soir, paraît-il, mais c'est resté secret jusqu'à ce matin. Ça fait peur à tout le monde, comprenez. Le château est maudit.

Gillette semblait véritablement terrifiée. Un geste inexplicable, ils avaient raison, tous. Un geste inexplicable.

La Diablesse...? La Diablesse. Cela venait forcément de là. Un geste maléfique venait d'un lieu maléfique. Mathéa se trompait : le vieux n'était pas inoffensif.

Un tableau lacéré, qu'est-ce que cela signifiait en termes de magie...? Le malheur sur la maison... Oui, c'était de cela que Réginart avait voulu parler, et il n'avait pas pu. On pouvait le comprendre.

– Je ne reste pas ici! reprit Gillette d'un ton angoissé. Je pars aussi.

– Pourquoi aussi? Quelqu'un s'en va?

– ... Eh bien... Damoiselle Mathéa... Le seigneur Alain trouve que la sécurité n'est plus assurée au château.

– Mais... où va-t-elle?

– Messire Alain l'envoie à Rennes. Pour l'instant, la ville est aux mains des partisans de Jeanne de Penthièvre.

« Si elle s'en va, se dit Garin, je file aussi. »

– Dame Agnès quitte-t-elle également le château?

– ... Non, dit Gillette.

Son ton, soudain, s'était fait embarrassé. Pouvait-elle partir en abandonnant sa maîtresse?

On entendit une course du côté des cuisines et Réginart parut, rouge d'excitation, son heaume sous le bras.

– Fuyez! lança-t-il à Garin. Mon père, le seigneur Alain, vient inspecter les réserves en prévision d'un siège.

Garin fit un bond. Le puits. Le puits... la poutre était toujours là où il l'avait vue le matin, posée en travers, preuve incontestable que quelqu'un avait bien fui dans la nuit.

– Allez-y, souffla Réginart. S'il vous trouve, il vous tue. Il est sûr que vous êtes à l'origine de tout, et que vous avez lacéré le tableau.

Gillette eut un geste nerveux des deux mains.

– Oh non, ce n'est pas lui... Ce n'est pas le geste d'un être humain.

Réginart lança un coup d'œil à Garin, mais il ne répondit pas. Ne pas abonder dans son sens. Oui... Il avait raison, le seigneur Alain, de vouloir attribuer ce méfait à un être de chair et de sang, et de plus, étranger de passage. Il n'était pas bon que l'angoisse règne dans le château. Garin était un excellent coupable.

– Allez-y, dit seulement Réginart.

Allez-y! C'était facile à dire. La poutre ne faisait même pas un pied de large, et l'ouverture se trouvait de biais.

Un courant d'air. La porte des cuisines. Des voix. Bouclier, bouclier. Saint Garin protégez-moi. Garin s'assit sur le bord du trou. C'était affreux. Affreusement profond et humide. Et si son pied dérapait? La poutre...

– Allez! chuchota Gillette, je vous tiens par les bras.

On le laissa glisser dans le puits. Ne pas regarder en bas. Une résistance sous son pied. C'était la poutre. Les deux pieds dessus.

– Tenez-vous aux parois, je vous lâche!

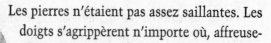

Les pierres n'étaient pas assez saillantes. Les doigts s'agrippèrent n'importe où, affreusement contractés, crispés sur de vagues aspérités. Dans le puits, on sentait comme un souffle, le chant d'une sirène des profondeurs, qui vous appelait en bas.

– Alors! Ces réserves! cria la voix du seigneur Alain.

Les deux silhouettes, là-haut, avaient disparu. Garin plia les genoux.

– Ah! le puits! Il va nous être indispensable en cas de siège.

La voix s'approchait. Garin bondit. Il se mit à ramper à toute force sur les coudes et les genoux, avant même d'avoir réalisé qu'il était vraiment dans le souterrain. Dans le souterrain! Il s'assit dans le noir, tentant de reprendre sa respiration. Il était vivant.

A ce moment, là-bas, Gillette disait:

– Nous avons posé la poutre, cela pourrait être utile si le danger s'approche, on pourrait même en poser plusieurs. Une seule, c'est trop périlleux.

Tiens... C'est maintenant qu'elle y pensait! Maintenant qu'il avait lui, Garin, risqué sa peau...

– Ce n'est pas urgent, répondit sèchement le seigneur Alain. Il sera bien temps si nous sommes assaillis. Retirez-la immédiatement. Je conserverai toutes les planches de la bonne longueur sous clé

Avait-il peur que ses hommes trouvent vite une excuse pour fuir le château ?

Le frottement de la poutre qu'on enlevait résonna dans le souterrain.

Je suis toujours vivant.

Il faisait nuit, très nuit. Garin se sentait un peu perdu. Là, c'était le puits. Il ne pouvait y retourner. Et là-bas ? Là-bas, l'inconnu. Le noir absolu.

Garin se passa les mains sur le visage. Ce n'est pas qu'il avait peur, non, il était seulement inquiet (trouverait-il le bout du chemin ?) et désolé, à cause de sa bonne cape qui ne prenait presque pas l'eau, et de son écritoire, compagne de tant de jours. Sa boîte ne verrait pas la fin de cette histoire, la fuite hors d'un château par un souterrain. C'était pourtant un grand épisode de la vie d'un aventurier tel que lui.

– La fuite d'un château par un souterrain, répéta-t-il à voix basse.

Il n'y avait pas *fuite* dans son maître mot, mais *souterrain* pourquoi pas ? Un chevalier d'aventure... oui... Le problème, c'est que l'expression ne peut s'appliquer qu'à celui qui survit assez longtemps pour faire parler de lui.

Survivre.

Le sol était gorgé d'eau, ça suintait de partout. Sans doute passait-on ici au-dessous des douves. Progresser à genoux n'avait guère de noblesse, surtout dans la boue. Non, décidément « chevalier » n'allait pas avec « souterrain », et pourtant, Garin aurait bien aimé qu'il y ait « chevalier » dans son maître mot.

Mais il ne trouverait peut-être jamais son maître mot, parce que ce souterrain ne menait peut-être plus nulle part.

Il la vit au dernier moment, la clarté du jour. Les buissons avaient poussé au fil des temps, dissimulant complètement la sortie. Devant ses yeux, deux pieds, chaussés de mailles de fer. Il était perdu.

Il fut saisi par les bras, violemment tiré dans les buissons. Une main gantée de fer s'abattit sur sa bouche. Il ne pouvait plus respirer. Un bras puissant lui comprimait le ventre, il sentait dans son dos le métal d'une armure.

Il allait s'évanouir. Il lui fallait de l'air! de l'air!

L'homme desserra un peu son étreinte, mais la main de fer appuyait toujours douloureusement sur sa bouche.

– Ne dites pas un mot! souffla-t-on à son oreille.

A ce moment, malgré la panique qui perturbait ses sens, Garin comprit que les taches luisantes, là-bas, étaient des sergents à cheval qui rentraient au château.

La main libéra d'un coup son visage, et il en profita pour reprendre avidement sa respiration, avant de tourner la tête pour découvrir le visage de son agresseur. Geoffroy!

– Tout va bien, dit alors celui-ci. Ils sont passés sans nous voir.

– C'est vous...?

Quelle réflexion idiote! L'autre n'allait pas répondre: «Non, ce n'est pas moi!»

– Je vous attendais, dit Geoffroy.

– Vous m'attendiez...?

– Allons, reprenez des couleurs. Je comprends que vous ayez eu un peu peur, mais...

– C'est plutôt que vous m'avez fait mal, grommela Garin.

Il l'agaçait, celui-là, avec ses mauvaises surprises et ses réflexions désobligeantes...

– Je vois, reprit-il avec un peu de rancœur, vous n'êtes pas le fils du duc de Lancastre, mais vous parlez tout de même le français !

– Je parle beaucoup de langues, dit Geoffroy en riant. Ne restons pas là.

Garin ne sut s'il devait, ou pas... Sans avoir pris vraiment de décision, il suivit le jeune homme.

Ils descendirent dans le lit du ruisseau. Tout cela semblait être organisé, pensé. Et lui ? Quelqu'un se préoccupait de savoir ce qu'il avait envie de faire, lui ?

L'autre, en haubert à capuche, avec son casque et ses plaques de métal sur la poitrine, avançait sans parler, suivant toujours le ruisseau. Enfin, passant sous un pont de pierre, il s'arrêta. Y avait-il une bonne raison pour cela ?

– Je peux vous demander ce que nous faisons là ? interrogea Garin avec mauvaise humeur.

– Nous attendons.

– Je vois. Auriez-vous, par un heureux hasard, la bonté de me dire ce que nous attendons ?

– Ne soyez pas maussade. Nous avons besoin de vous. Nous attendons ceux du château.

– La damoiselle ?... J'avais cru comprendre que je devais l'aider à s'enfuir, mais je ne vois pas comment. Il faudra bien qu'elle se débrouille seule.

– La damoiselle... répéta Geoffroy. Oui... nous nous sommes arrangés autrement. Votre mission ne commence qu'ici, nous avons besoin de vous pour parvenir sans encombre jusqu'à Bécherel.

– Je n'y suis guère allé qu'une fois.

– Mais vous sauriez retrouver le chemin, n'est-ce pas ? Sans que nous ayons besoin de demander à qui que ce soit.

– Je retrouverai, grogna Garin.

Vrai, l'habitude des chemins lui avait donné un infaillible sens de l'orientation. Il était capable d'aller n'importe où en venant de n'importe où, et même d'atterrir dans un château maudit des dieux.

Il haussa les épaules.

– Ce que je vois, c'est qu'on se sert de moi, c'est tout.

– Pas seulement, non. On vous a mis dans l'embarras, certes, mais... Ah ! Les voilà !

Sur le chemin, deux chevaux seulement, deux vieilles mules plutôt, montées par deux pauvres hères vêtus d'habits rapiécés, et accompagnés d'un chien. Et le chien, Garin le reconnut parfaitement. Il détailla alors les nouveaux venus avec stupéfaction. L'une des silhouettes pouvait être celle de Mathéa, déguisée, mais l'autre ?...

Réginart !

18

POUR DEUX AMANTS,
MATHÉA ET GEOFFROY
SEMBLAIENT BIEN PEU
EMPRESSÉS. ILS SE SALUÈ-
RENT JUSTE D'UN SOURIRE.

– J'ai eu peur, dit Geoffroy, que cela ne réussisse pas, et que vous soyez finalement obligés de vous enfuir.

– Heureusement, nous n'y avons pas été contraints, soupira Mathéa, messire Alain nous aurait forcément fait rechercher. Là, tout s'est passé pour le mieux.

– Le plus difficile, ajouta Réginart, fut de persuader messire Alain de nous laisser partir sans escorte.

Tiens ! il ne disait plus « mon père » ?

Mathéa descendit de sa monture.

– Je suis parvenue à lui démontrer que deux pauvres, sur deux vieilles mules, n'attireraient l'attention de personne, et que par contre, deux riches avec une toute petite escorte ris-quaient leur vie.

– Et puis, renchérit Réginart, même quelques gardes pouvaient manquer terriblement à la défense du château. Messire Alain croit que vous allez envoyer les Anglais là-bas.

– Je le comprends, dit Geoffroy. A sa place, j'aurais agi de même. Enfin... l'essentiel est que vous soyez dehors. Avançons tranquillement. La campagne paraît déserte, mais ne faisons rien qui puisse attirer l'attention.

Il se tourna vers Garin pour l'interroger du regard.

– Bécherel, soupira le garçon, c'est par là.

Et, sans plus rien dire, il se mit à marcher devant les mules pour montrer le chemin. Il se sentait froissé que personne ne lui ait encore accordé d'attention.

– Excusez-moi pour le tableau, dit Geoffroy en s'adressant à Mathéa. J'étais aux abois, j'ai pensé que c'était cela qui pourrait avoir le plus d'influence sur le seigneur Alain : la terreur que pouvait inspirer l'incompréhension d'un pareil événement. Ni la mort du garde, ni celle du capitaine de la garnison n'avaient réussi à l'ébranler.

– Nous sommes un peu tristes pour une œuvre si rare, dit Mathéa, mais c'est effectivement ce qui a décidé le seigneur Alain à nous éloigner.

– Comment messire Geoffroy... vous étiez encore dans le château ? s'ébahit Garin.

– Évidemment. Je ne l'ai quitté que cette nuit, par le souterrain que Réginart avait réussi à dégager. Avant, je n'ai pas pu : au moment où j'ai voulu jeter la corde, Alain est arrivé sur le chemin de ronde, et je me suis réfugié derrière la première porte que j'ai trouvée... celle du vieux chancelier. Je n'ai pu faire prévenir Mathéa que trois jours plus tard.

« Pauvre vieux chancelier, se dit Garin, bourrelé de remords d'avoir pensé tant de mal de lui. Mais... chez le vieux... »

– Je vois, dit-il d'un ton amer : au-dessus de l'atelier de tissage, bien sûr, au-dessus du grenier !

Il lança à la jeune fille un regard de reproche.

– Je ne vous ai pas vraiment menti, se défendit-elle. Je vous ai dit que j'y allais parce que je voulais avoir des nouvelles de Geoffroy.. et puis, quelle raison aurais-je eue de vous mettre dans la confidence ?

– La raison qu'à cause de vos manigances, j'ai perdu mon emploi et que j'étais même à deux doigts de perdre la vie.

– C'est vrai, intervint Geoffroy. Croyez que nous sommes désolés et reconnaissants... Mais vous avez entrepris presque tout seul de nous aider. Vous avez choisi, de vous-même, de « révéler » que j'étais le fils du duc de Lancastre, et cela a évité que Mathéa ou Réginart se trouvent impliqués dans ce mensonge. Messire Alain aurait pu, par la suite, se méfier d'eux.

– Je vous remercie, dit Garin, de ce coup, c'est moi qui risquais la pendaison.

– On vous a sauvé, non ? dit Réginart en riant.

– J'ai même tenté de vous éviter de tremper dans le meurtre du capitaine de la garnison en vous faisant fuir des courtines.

Oh ! souffla Garin, la bête... C'était vous ? Eh bien vous n'avez rien évité du tout, j'ai été accusé par les gardes.

J'ai essayé, c'est tout. On ne réussit pas toujours. Et croyez-moi, j'aurais bien préféré qu'il n'y ait pas mort d'homme, mais le garde m'a surpris sur la courtine au moment où j'étudiais les douves pour tenter une seconde fois de m'échapper en plongeant. Quant au capitaine Briselance, il est entré inopinément chez le vieux...

– Les morts sont toujours désolantes, dit Mathéa, mais ces hommes étaient vos ennemis. S'ils vous avaient pris, ils vous auraient tué... Et leur mort brutale nous a servi, malgré tout : pour messire Alain, ce fut la certitude qu'un traître vivait au château, et cela a grandement participé à sa décision de nous mettre à l'abri.

Garin en était un peu suffoqué.

– Tout cela pour... pour partir avec Geoffroy? Parce que le seigneur Alain se serait opposé à votre mariage?

– Pardon...?

Mathéa semblait embarrassée.

– Je crains, dit-elle, que nous ne vous ayons pas tout à fait dit la vérité... Quand nous nous sommes aperçus que vous nous aviez entendus depuis l'étuve, nous nous sommes arrangés pour vous faire croire que Geoffroy était là par amour.

– ... Et c'était faux?

C'était faux, bien sûr, il avait bel et bien une autre mission. Une mission! C'est lui qui avait écrit sur le parchemin, évidemment!

– Eh bien... répondit Mathéa, disons que ce n'était pas vrai.

– Pas vrai sur le moment, précisa Geoffroy d'un ton indéfinissable.

Mathéa rougit un peu. Geoffroy ajouta :

– Je ne connaissais pas Mathéa en arrivant au château, ou du moins, je ne l'avais pas vue depuis si longtemps...

– Et moi, dit Mathéa, je n'ai compris qui il était qu'en entendant la chanson.

– Je vois, grogna Garin en direction de Réginart, vous m'avez encore raconté des fables.

– Parce que vous n'émettez, vous, que des vérités?

Garin fronça les sourcils sans répondre. Non, vraiment, tout cela dépassait son entendement.

– Ma mission, expliqua enfin Geoffroy, était de me joindre aux troupes qui s'empareraient du château. Malheureusement,

Bertrand du Guesclin avait éventé le plan de Calveley, et rien ne s'est passé comme prévu, j'ai été capturé. Par chance, finalement, vous étiez là.

– Vous m'avez tous manœuvré, se scandalisa Garin, et j'ai été assez bête pour tout gober : vous m'avait fait « découvrir » la soi-disant identité du prisonnier, croire qu'il était là par amour, croire qu'il avait quitté le château, que Mathéa voulait aller le rejoindre alors que...

Alors que quoi ?

– Mais, interrogea-t-il soudain, pourquoi alors était-il si important que Mathéa quitte ce château ?

– Moi ? repartit Mathéa, je n'avais aucune raison de le quitter. Simplement, je ne pouvais laisser Réginart partir seul.

Réginart ?

– Excusez-nous de vous avoir trompé, mais nous ne pouvions faire autrement. Il ne fallait pas que vous vous doutiez de quelque chose. Vous auriez – même sans le vouloir – pu faire tout échouer. Déjà Réginart m'a parfois mené la vie dure.

– Oh ! protesta le garçon.

– Parfaitement, avec vos sottises. Je sais qu'il est dur d'avoir onze ans quand on n'en a que neuf.

– Vous n'avez que neuf ans ? demanda Garin sans saisir le moins du monde l'intérêt de ce mensonge.

– Voyez-vous, dit Geoffroy, Réginart est né en 1345... seulement, il se trouve que le seigneur de Crahan était mort en 1342. C'était difficile de faire croire qu'il était son fils.

– Je suis donc censé, commenta Réginart du haut de sa mule, être né en 1343.

– Vous... vous n'êtes pas le fils du seigneur de Crahan ?

– Je ne suis pas non plus le fils de dame Agnès, si cela peut vous rassurer quant à sa conduite. Je ne suis pas un enfant illégitime, elle m'a seulement adopté.

– Taisons-nous, souffla rapidement Geoffroy, la route commence à être fréquentée, ici.

Effectivement, on arrivait à une intersection, signalée par une croix simplement plantée dans le talus, qui penchait un peu et, en face, un gros arbre auquel pendait un morceau de corde, et qui devait servir de gibet de temps en temps... assez souvent, même, car les corbeaux avaient élu domicile tout en haut, attendant avec patience le prochain condamné pour se régaler.

Cela faisait froid dans le dos.

Garin observa avec méfiance ce qui les entourait. Si on le prenait, il pourrait bien être le prochain repas des corbeaux.

Ce devait être jour de marché, à Bécherel, pour qu'autant de monde se dirige par là, des paysans avec des poules, des œufs, un peu de grain. Réginart n'était pas le fils de dame Agnès... et alors ! qu'est-ce que ça pouvait lui faire ?

Quand il boudait, Garin se persuadait aisément qu'il se moquait de tout, jusqu'à ce qu'il trouve le moyen d'en savoir plus.

Sur le bord du chemin, des gardes. Ils arrêtaient tout le monde.

– Moi, je ne reste pas là, chuchota-t-il rapidement en faisant demi-tour.

Il fut rattrapé par le bas de son surcot.

– Vous restez! commanda Geoffroy. Si vous rebroussez chemin, les gardes se méfieront et vous tireront dans le dos sans se poser de question.

– On ne passe pas! criaient les gardes – des Anglais. Le marché se tiendra ici. On ne pénètre plus dans la ville.

La ville... elle venait d'apparaître là-haut, présentant à la vallée ses épaisses murailles derrière lesquelles elle se défendait contre tout intrus. Eux étaient les intrus. Les hommes d'armes venaient de leur interdire fermement le passage, de leurs lances effilées.

Geoffroy s'approcha d'eux, leur murmura quelque chose, et aussitôt un des gardes sauta à cheval pour se diriger vers la ville.

Le garde revint peu de temps après, accompagné d'un homme vêtu, par-dessus son haubert, d'un riche surcot orné de deux lions dos à dos.

– Geoffroy! s'exclama-t-il en tendant les bras au jeune homme, vous avez réussi!

– Voici Réginart, présenta Geoffroy en désignant le garçon.

– Réginart... Combien de fois avons-nous prononcé votre nom, sans vous connaître? Et depuis que nous savons que Charles de Blois n'arrive pas à réunir sa rançon, votre nom est souvent revenu dans les conversations. Heureusement, les Français n'ont jamais découvert votre identité.

L'homme se tourna de nouveau vers Geoffroy, pour se faire expliquer les événements, mais cette fois, il parlait en anglais.

Garin s'approcha de Réginart.

– Mais enfin, demanda-t-il, qui êtes-vous ?

– Je suis cousin de Jean de Montfort. Geoffroy est mon frère aîné.

Garin en fut abasourdi.

– Vous avez le droit de savoir, intervint Mathéa, vous avez eu bien assez d'ennuis à cause de nous. Je peux tout vous dire.

Garin eut un vague geste, qui pouvait signifier qu'il ne demandait rien, mais sans dissuader, de façon à ce qu'on lui raconte tout de même.

Ils se remirent en route, Geoffroy et l'Anglais devant avec Réginart, Mathéa demeurant aux côtés de Garin.

– Après la mort de mon père, le seigneur de Crahan, dit-elle, le château familial fut malheureusement incendié par des brigands. Nous nous sommes alors réfugiés chez nos voisins, les parents de Réginart. Bien que le parti de leur cousin Jean de Montfort soit à ce moment en mauvaise posture, ils ne se résignaient pas à quitter la Bretagne. Ils avaient gardé avec eux leur plus jeune fils, Réginart, mais avaient envoyé Geoffroy à l'abri en Angleterre.

« Leur château fut pris par les Français. Ils furent tués. C'était une époque terrible. Ma mère a dit que le petit était le sien, pour le sauver.

« Personne n'a jamais su la véritable identité de Réginart sinon, il aurait facilement pu servir de monnaie d'échange pour qui l'aurait capturé.

– Monnaie d'échange, demanda Garin qui commençait enfin à comprendre, pour libérer Charles de Blois par exemple ?

– Oui Réginart n'a bien entendu pas la même valeur mar
chande que Charles de Blois, mais cet échange aurait réduit
considérablement la rançon, et fait pression. Voyez... si un
jour Charles de Blois devait être libéré, cela diminuerait forte-
ment nos chances de faire reconnaître Jean de Montfort
comme duc de Bretagne.

– Le pire, souligna Réginart, ce fut la capture de Geoffroy.
Deux membres de la famille de Montfort dans les mains des
Français...

– Heureusement, reprit Mathéa. messire Alain lui-même
n'a jamais eu aucun soupçon.

– Il n'a jamais su, pour Réginart ?

– Jamais. Le plus dur fut de supporter si longtemps sa haine
des Montfort, sans rien montrer. Seul Bredan savait. Il était
l'écuyer de mon père. Il avait fait vœu de ne pas se raser avant
d'avoir mené l'enfant en sécurité en Angleterre. Mais...

Garin se mordit la langue. Devait-il révéler qu'il connaissait
l'assassin ?

A ce moment, Geoffroy se tourna vers eux et annonça :

– La route de Saint-Malo est libre, à ce qu'il semble. Nous
n'aurons pas de problème pour embarquer.

– Et sinon, lança Réginart avec fougue, nous nous battrons !
Viendrez-vous avec nous en Angleterre, l'ami ?

– Sans façon, dit Garin, moi je suis un scribe, pas un guer-
rier, et puis j'ai le mal de mer.

– Messire Alain aussi l'avait ! s'exclama Réginart en riant.
Pauvre messire Alain ! Il ne va rien comprendre à notre disparition. Il va nous croire perdus, mangés par les bêtes féroces..

– Il ne croira pas cela, dit alors Mathéa d'un ton très sérieux, car je vais rentrer au château.

– Vous allez me quitter?

– Vous êtes avec votre frère, maintenant, et moi, je ne puis laisser mère toute seule.

Réginart hocha simplement la tête.

– C'est vrai... elle aura déjà assez de chagrin de mon départ. Et puis, seule à affronter la colère de messire Alain... Car il sera furieux!

– Nous laisserons sa fureur passer. Il comprendra. Il verra bien lui-même qu'il nous était impossible de lui avouer la vérité : s'il l'avait connue, sa position aurait été intenable. Élever en cachette un membre de la famille Montfort...! Lui qui disait toujours qu'il fallait trouver une monnaie d'échange, pour la libération de Charles de Blois... A mon avis, jamais il ne vous aurait livré, Réginart, mais imaginez sa situation... Non, je ne crains pas sa colère. Elle sera de courte durée. Vous le savez, il n'est pas toujours aimable, mais pas foncièrement méchant non plus. Ne disons plus de mal de lui, car il nous a élevés comme il pensait qu'il devait le faire.

Réginart haussa les épaules, il n'avait jamais eu grande affection pour le seigneur Alain.

– La mer sera-t-elle agitée? demanda-t-il avec une légère inquiétude.

– Je ne pense pas, répondit Geoffroy, mais le vent peut toujours se lever d'un coup.

... Non, finalement, Garin ne dirait rien sur la mort de Bredan.

La porte Saint-Michel se dressait devant eux. Elle ressem blait étonnamment à celle de Montmuran.

– Il faut nous quitter ici, dit Mathéa avec une certaine mélancolie.

– Je vous regretterai, assura Réginart d'un ton sincère. Et dites à ma mère ma tristesse... et mon affection.

– Elle les sait. Depuis longtemps, elle vivait avec la pensée que ce jour viendrait, le jour où vous nous quitteriez. Cela lui fait peine, mais elle sera rassurée de vous savoir enfin en sécurité.

– J'aimerais, intervint Geoffroy vous savoir également en sécurité, Mathéa.

– J'y serai... si Garin veut bien me raccompagner au château, pour que je ne fasse pas le chemin toute seule. Qu'en dites-vous, Garin?... Je vous garantis qu'il ne vous arrivera rien, puisque j'expliquerai la situation à messire Alain. D'ailleurs, il a toujours douté de votre culpabilité...

Oui bien sûr... trop gringalet.

– Il se laissera facilement convaincre, croyez-moi.

– Je n'ai pas peur, dit Garin, et puis, mon écritoire est là-bas; je ne puis la laisser toute seule! Partons.

Une damoiselle, et pas n'importe laquelle, avait besoin de lui!

C'est alors que la voix de Geoffroy lui parvint. Il tenait les mains de Mathéa entre les siennes, et disait, avec une douceur agaçante:

– Cette guerre va bientôt finir. A la première trêve je reviendrai, je vous le jure. M'attendrez-vous?

- Je vous attendrai.

Trois mots, comme trois épines dans le cœur de Garin.

Bon. Il allait au château pour récupérer sa cape et son écritoire, et pour se faire rétribuer de ses services d'inventaire, il ne fallait pas oublier cela. Sans compter qu'il avait bien d'autres soucis : son maître mot, par exemple, il n'avait pas encore réussi à le découvrir.

Et puis après tout, il était vivant, non ?

TABLE DES MATIÈRES

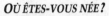
OÙ ÊTES-VOUS NÉE ?

E. B.-P. Par le plus pur des hasards, je suis née au camp militaire de Coëtquidan, en Bretagne. Ensuite, j'ai vécu au Maroc, puis à Rennes, puis à Vannes.

OÙ VIVEZ-VOUS MAINTENANT ?

E. B.-P. Je suis revenue à Rennes faire mes études à l'université, je m'y suis mariée et j'y suis restée.

ÉCRIVEZ-VOUS CHAQUE JOUR ?

E. B.-P. Non. Il y a de longues périodes pendant lesquelles je n'écris pas. En revanche, à partir du moment où j'ai commencé un roman, je m'y attelle chaque jour, de manière à bien rester dans l'ambiance.

ÊTES-VOUS UN « AUTEUR À PLEIN TEMPS » ?

E. B.-P. Oui. Mais le travail d'écrivain que je croyais être de solitude et de silence s'est révélé plus complexe : on me demande souvent d'aller dans des classes répondre aux questions de mes lecteurs, et là... point de silence ni de solitude.

EST-CE QUE L'INCONNU DU DONJON *DÉCOULE, MÊME DE LOIN, D'UNE EXPÉRIENCE PERSONNELLE* ?

E. B.-P. Ne me cherchez pas dans mes romans, je n'y suis pas (bien que certains croient m'y reconnaître parfois!). Je vous le jure, je n'ai pas vécu dans un château du XIVᵉ siècle, je n'ai pas rencontré Bertrand du Guesclin, je n'ai jamais écrit avec une plume d'oie sur un parchemin, ni nettoyé une cotte de mailles, ni fui par un souterrain. Par contre, si j'avais vécu à cette époque, je suis sûre que j'aurais fait tout cela (enfin… peut-être pas le souterrain).

QU'EST-CE QUI VOUS A INSPIRÉ CETTE HISTOIRE ?
E. B.-P. A Rennes, où j'habite, il y a une rue dont la plaque m'arrête immanquablement. Elle dit : « Garin Trousseboeuf. Trouvère du XIIᵉ siècle. » Depuis dix ans, à chaque fois que je passe, je la lis, et chaque fois j'en ai un coup au cœur : quel nom merveilleux! Il faut absolument que je crée un personnage qui s'appelle ainsi! … Et voilà. J'imagine que mon Garin est un descendant de l'autre, et qu'il porte son nom. Et avec un nom pareil, il ne peut être que plein d'humour. Et avec un ancêtre pareil, il ne peut que lui arriver beaucoup d'aventures. Ah, ah… Je vais lui concocter des ennuis, des embrouilles, des chausse-trappes, des rigolades… Je vais partir de ce mois d'avril 1354 où du Guesclin a commencé à faire parler de lui en capturant par ruse une troupe anglaise : c'est une période agitée, avec des guerres, des loups, des trafics, des brigands sur les routes. Pas très calme, quoi! Le rêve pour un romancier…

EST-CE VOTRE PREMIER ROMAN ? EN AVEZ-VOUS ÉCRIT BEAUCOUP ?
E. B.-P. J'ai écrit pas mal de textes (à peu près soixante-quinze), dont une trentaine de romans.

Evelyne Brisou-Pellen est venue par hasard à la littérature, écrivant d'abord de petits contes destinés à des journaux pour enfants, puis deux romans, Le Mystère de la nuit des pierres *et* La Cour aux étoiles. *Elle s'est vue décerner le Grand Prix du livre pour la jeunesse 1984 du ministère de la Jeunesse et des Sports pour son troisième roman,* Prisonnière des Mongols. *Evelyne Brisou-Pellen a publié chez Gallimard Jeunesse* Le Défi des druides *et* Le Fantôme de maître Guillemin.

Le livre, je l'ai abordé différemment de tous ceux que j'avais illustrés auparavant, pour une raison simple : on me donnait encore moins de temps que d'habitude pour le réaliser. J'ai donc fait mes dessins sans me soucier de la place qu'ils allaient occuper sur la page et encore moins de leur format. (Je pourrais tou jours faire des coupes plus tard.) Arrivé à la fin du travail, j'avais fait plus de soixante-dix illustrations, je m'étais laissé emporter par le texte, l'intrigue et les personnages, en moins de trois jours. Il y en avait beaucoup trop ! J'ai envoyé le tout à l'éditeur pour qu'il fasse le tri, ainsi une vingtaine de dessins ont été supprimés. Il ne me restait plus qu'à réaliser les images définitives, celles qui sont dans le livre. Afin de rester près de l'esprit de la collection, je devais aussi trouver une technique plus rapide, plus jetée que celle que j'utilise habituellement.

Après quelques heures de tâtonnement (pinceau, crayon, plume, feutre) j'ai opté pour mon stylo-plume, celui que j'utilise en général pour remplir mes chèques. Le trait étant trouvé, c'est avec un pinceau et de l'eau que j'ai obtenu les différentes valeurs de gris, par dissolution de l'encre qui n'est pas indélébile.

NICOLAS WINTZ NOUS RACONTE COMMENT IL A ILLUSTRÉ L'INCONNU DU DONJON

Nicolas Wintz est né en 1959 à Strasbourg. Il illustre depuis 1981 des livres documentaires, historiques ou de fiction. Il a réalisé plusieurs albums de B.D. et travaillé pour le dessin animé et la presse.

ISBN : 2-07-058509-3
Loi n° 49-956 du 16 juillet 1949
sur les publications destinées à la jeunesse
Dépôt légal : décembre 2005
1er dépôt légal dans la même collection : septembre 1987
N° d'édition : 141351 - N° d'impression : 76678
Imprimé en France sur les presses de la Société Nouvelle Firmin-Didot